marie claire
idées

LES FLEURS

UNE BRASSÉE D'OUVRAGES DE CHARME

Éditions **marie claire**

Collection MARIE CLAIRE IDÉES
Un magazine publié par Marie Claire Album
Directrice de la Publication : Dominique Roche
Rédactrice en chef : Caroline Lancrenon
Direction artistique : Caroline Dujat et Michel Stéfani
Assistante : Marion Taslé

Direction d'édition : Thierry Lamarre
Réalisation : Joy Laguenie
Textes : Renée Méry
Illustrations : Nadine Sevin
Assistante d'édition : Adeline Lobut

Éditions MARIE CLAIRE
Publiées par Société d'Information et de Créations (SIC)
Une société de Marie Claire Album
10, boulevard des Frères-Voisin, 92130 Issy-Les-Moulineaux Cedex 9 - France
Tél. 01 41 46 88 88
R.C.S. Nanterre 302 114 509 R.C.S. Nanterre
sarl au capital de 32 000 euros
© 2005, Éditions Marie Claire-Société d'Information et de Créations (SIC)

N° ISBN : 2-84831-038-3
Imprimé par G. Canale & C., Turin (Italie)
Dépôt légal : 1er trimestre 2005.

LES FLEURS

UNE BRASSÉE D'OUVRAGES DE CHARME

Sommaire

Petits Cadeaux

PAGES DE FÊTE

FOURNITURES

1 album photo ● Encres gel pailletées Marabu, col. glitter : or rougeâtre, fuchsia, rubis ; col. magic : rose ● Produit de contour Marabu ● Peinture sur soie Marabu : framboise, quartz rose, vert olive ● Colle à tissu ● Toile de Jouy pour recouvrir l'album ● Ciseaux ● Craie tailleur noire ● Ouate fine pour recouvrir l'album ● 2 morceaux de carton fin aux mesures de l'album.

RÉALISATION

Laver, sécher et repasser le tissu. Découper un rectangle de tissu pour recouvrir l'album en centrant un motif sur le dessus et en ajoutant 5 cm tout autour. Délimiter les bords du motif choisi au produit de contour en suivant les explications du fabricant. Colorer ensuite le motif avec les peintures sur soie. Laisser sécher. Repasser pour fixer les couleurs. Dessiner des détails à l'encre pailletée ou gonflante. Laisser sécher. Repasser sur l'envers. Coller la ouate sur la couverture de l'album. Recouvrir du tissu peint en repliant et collant l'excédent de tissu à l'intérieur de la couverture. Pour éviter les épaisseurs, pincer le tissu dans les angles puis le couper à ras du carton et le coller.

Retailler légèrement les 2 morceaux de carton et les coller à l'intérieur de la couverture pour cacher le montage.

Petits cadeaux

OUVRAGES TRÈS SAGES

FOURNITURES

Boîtes de récupération ● Pinceaux de tailles différentes ● Crayon ● Papier-calque ● Gomme ● 1 m de cordon violet ● Peinture acrylique Déco Mat Opaco de Lefranc & Bourgeois : blanc, crème violette 644, rose pourpre 642, lilas poudré 645, myrtille 643… Peinture Deco Mat Marabu : violet rougeâtre 050, violet foncé 051, lilas 235, vert 097● Vernis.

RÉALISATION

Peindre la boite et le couvercle dans un ton de mauve. Laisser sécher. Décalquer le motif choisi, agrandi à la taille du couvercle. Redessiner tous les traits sur l'envers, au crayon. Poser le calque en place puis repasser tous les traits au stylo-bille pour les imprimer en place. Peindre les fleurs dans un assortiment de mauves, les tiges en différents verts, les cœurs en jaune…Commencer toujours par

(suite page 96)

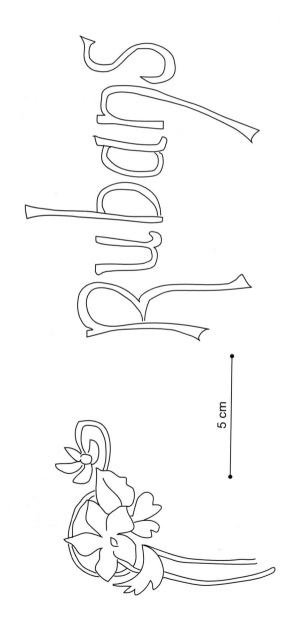

5 cm

Petits cadeaux

PERLES DE LUMIÈRE

FOURNITURES

Grillage hexagonal galvanisé ● Fil carcasse de 0,36 mm de diamètre ● Perles rondes de 1 et 2 mm de diamètre ● Pince coupante.

RÉALISATION

Pour chaque photophore, couper un rectangle de grillage de 25 x 40 cm. Le plier pour former un cylindre de 25 cm de haut puis le fermer en entortillant les fils des mailles coupées d'une extrémité sur les mailles correspondantes de l'autre.

Pour chaque fleur, couper 30 cm de fil carcasse. Enfiler 6 grosses perles, fermer en rond en entortillant le fil = centre. Enfiler 15 petites perles, faire une boucle, passer le fil entre les deux perles suivantes autour du premier cercle, répéter pour former 6 pétales. Terminer en bloquant une grosse perle au centre pour le cœur. Enfiler des perles vertes sur une longueur pour former la tige. Confectionner ainsi des fleurs de différentes couleurs en jouant sur la longueur des tiges...

ou confectionner des fleurs sans tiges. Attacher le tout sur le grillage par de petits nœuds de fil de fer. Ajouter éventuellement des feuilles de taille différente formées à partir d'un fil carcasse courbé.

Jouer sur la hauteur des photophores pour créer une ambiance fleurie !

Petits cadeaux

UN INSTANT FLEURI

FOURNITURES

1 serviette de toilette ● Mouliné DMC, 1 écheveau de chacun des coloris suivants : mauve foncé 327, mauve clair 209, mauve 210, vert 320, jaune 728 ● Carbone spécial broderie ● Aiguille à broder

POINTS EMPLOYÉS

Passé plat, point de tige, point de nœud, point de poste (voir leçon de points).

RÉALISATION

Décalquer le motif agrandi. Le reporter en place à l'aide du carbone. Broder le V de violette : dessiner les contours au point avant avec 6 brins 210. Broder éventuellement une autre ligne de points dans les parties les plus larges puis recouvrir toute la lettre au passé plat serré avec 2 brins 210. Broder ensuite le reste du mot au point de tige avec 3 brins 210.
Broder les tiges des fleurs au point de tige avec 2 brins 320, les fleurs au point lancé avec 2 brins des différents mauves, puis les cœurs au

point de poste et points lancés avec 1 brin 728. Repasser à la vapeur sur l'envers, en appuyant la broderie sur un molleton.

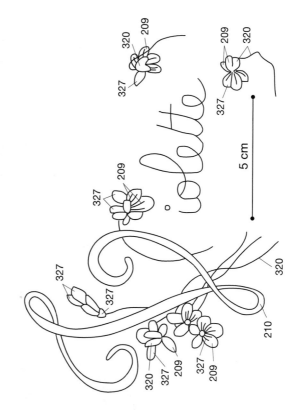

Petits cadeaux

BOUQUET APPLIQUÉ
Dimensions : 44 x 35 cm

FOURNITURES
1 grand assortiment de coton-nades roses, jaunes, vertes, mauves, blanches... toutes les couleurs des roses et de leurs feuillages + 1 morceau un peu plus grand pour le pot de fleurs ● Fils à coudre assortis ● Coton à broder vert ● Papier-calque ● Papier carbone ● Crayon à pointe fine ● Fil à matelasser.

RÉALISATION
Décalquer le motif agrandi. Le reporter sur le tissu de fond à l'aide du carbone pour pouvoir placer facilement les morceaux à appliquer.
Poser ensuite le calque sur chacun des tissus choisis pour les applications. Glisser le carbone en dessous, dessiner au crayon le tour de la pièce concernée puis la découper à 3 mm. Préparer ainsi tous les morceaux en les classant au fur et à mesure .
Appliquer d'abord les tiges : les épingler en place puis les coudre à

(suite page 97)

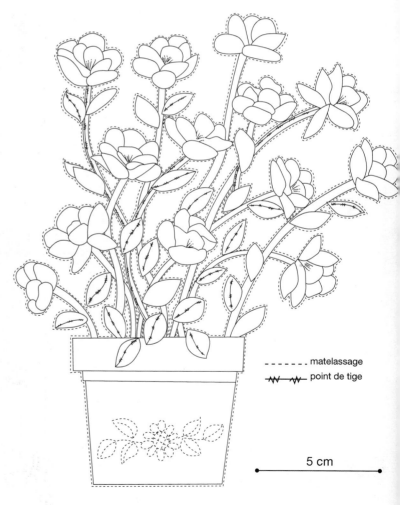

- - - - - - matelassage

‐W‐ ‐W‐ point de tige

5 cm

Petits cadeaux

POTS EMBELLIS

FOURNITURES

Pots en terre ● Papier de verre moyen ● Pâte à modeler durcissante à l'air blanche Efaplast ● 1 baguette de bambou fine ou 1 ébauchoir très fin ● Tubes de gouache Linel vert lumière foncé, bleu violet, blanc et violet persan clair ● Pinceau ● Cutter

RÉALISATION

Laver puis poncer les pots. Bien essuyer pour enlever toute trace de poussière. Étaler une boulette de pâte à modeler en longueur pour former la fleur de lavande. Bien faire adhérer la pâte au pot en l'étirant pour ne pas avoir trop d'épaisseur et modeler les fleurs avec la tige de bambou, chaque fleur étant un petit grain allongé.

Étirer un boudin de pâte très fin pour la tige.

Laisser sécher complètement. Avec le cutter affiner la tige et les fleurs. Poncer les traces de pâte sur le pot puis peindre à la gouache.

Petits cadeaux

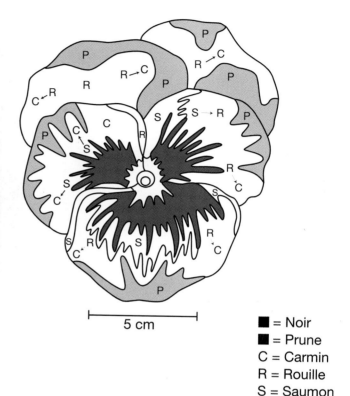

5 cm

◼ = Noir
◼ = Prune
C = Carmin
R = Rouille
S = Saumon

PENSE-BÊTE

FOURNITURES

Crayon de couleur et taille-crayon ● Feuilles de plastique dingue ● Ciseaux fins ● Papier aluminium ● Colle époxy à 2 composants ● Punaises ● 60 x 50 cm de toile de lin écrue ● 50 x 40 cm de liège collé sur du carton ● Colle en bombe ● Colle pour tissu ● Ruban kraft adhésif.

RÉALISATION

Poser le plastique fou sur le schéma, côté rugueux sur le dessus. Commencer par dessiner les contours dans la couleur dominante, avec le crayon bien taillé. Colorier les zones les plus claires puis les plus foncées. Toutes les fleurs sont dessinées sur le même modèle en variant la taille et l'emplacement des coloris. Attention ! les motifs diminuent un peu plus de moitié à la cuisson.

Découper soigneusement. Chauffer le four à 150 °C. Disposer les éléments sur une plaque de cuisson recouverte de papier d'aluminium pour éviter qu'ils collent, et cuire 1 à 3 min. Les sujets sont cuits lorsqu'ils ne bougent plus et qu'ils sont redevenus plats. Les sortir du four et les placer aussitôt sous un poids pour qu'ils refroidissent à plat. Coller une punaise au dos de chaque pensée avec de la colle époxy.

Projeter de la colle en bombe sur toute la surface du liège. Tendre la toile dessus. Enduire les tranches de colle pour tissu. Rabattre la toile sur l'envers et la fixer avec le kraft adhésif.

Petits cadeaux

MORCEAUX CHOISIS

FOURNITURES

Napperons de récupérations ou morceaux de tissu brodé ● Teinture pour tissu Dylon, à froid ● Fil à coudre ● Verres à orangeade ● Crayon papier à pointe fine.

RÉALISATION

Les housses de verre sont coupées dans des napperons de récupération qui ont été teints.

Avant d'être plongés dans la teinture, tous les napperons doivent être lavés et détachés. Les taches prennent la teinture comme le reste du tissu et sont encore plus visibles. S'ils ne séjournent pas longtemps dans la teinture, les tissus blancs prennent la couleur plus rapidement que les broderies. Préparer la teinture à froid dans un bocal de verre pour surveiller attentivement et sortir le tissu dès que la couleur sera satisfaisante et avant que les broderies ne se colorent.

Laisser sécher à l'abri du soleil puis repasser.

Confectionner la housse de chaque verre : poser le verre sur l'envers d'une partie sans broderie pour que le verre reste stable. Dessiner le tour du fond au crayon. Couper à 5 mm. Mesurer la hauteur du verre, le périmètre inférieur et le périmètre supérieur. Reporter sur le tissu en centrant un motif. Couper à 5 mm en bas et sur les hauteurs et 2 cm en haut pour l'ourlet, sauf si celui du napperon peut être utilisé.

Fermer le tour en rond en piquant les hauteurs l'une sur l'autre endroit contre endroit à 5 mm des bords. Piquer de la même façon autour du fond.

Ourler le haut en cousant un double rentré de 1 cm.

Petits cadeaux

PERLES DE ROCAILLE

FOURNITURES

1 miroir avec encadrement en bois ● Perles de rocailles ● Fil de cuivre argent très fin.

RÉALISATION

Pour le bouquet n° 1 confectionner 2 fleurs semblables.

Pétales : sur 30 cm de fil, enfiler 6 perles à 10 cm de l'extrémité, repasser dans la 5e perle, enfiler 4 perles. Torsader le fil 2 fois pour former 1 boucle (1). Enfiler 8 perles sur l'extrémité la plus longue, passer dans la perle extérieure du 1er anneau, enfiler 1 perle, repasser dans la perle précédente, enfiler à nouveau 8 perles. Torsader le fil 2 fois (2). Enfiler 12 perles, passer dans la perle extérieure du 2e anneau, enfiler une perle, repasser dans la perle précédente, enfiler à nouveau 12 perles, torsader le fil 2 fois (3). Enfiler 16 perles, passer dans la perle extérieure, enfiler 1 perle, repasser dans la perle précédente, enfiler à nouveau 16 perles, torsader le fil 2 fois (4). Le 1er pétale est terminé. Confectionner 5 autres pétales semblables.

PÉTALE

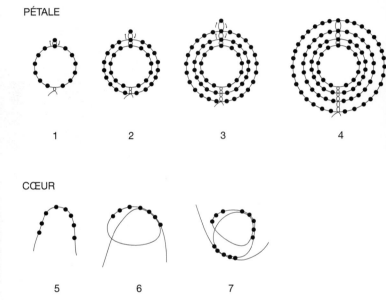

1   2   3   4

CŒUR

5   6   7

Cœur : sur 15 cm de fil, enfiler 8 perles (5), repasser dans les 5 premières (6), enfiler 5 perles sur le brin droit et passer le brin gauche dans ces mêmes perles en sens inverse (7). Torsader les fils du cœur et des 5 pétales ensemble. La fleur est terminée.

Confectionner une 3e fleur selon la même technique avec 5 pétales et un cœur plus petits.

La branche : faire glisser 20 perles au milieu de 40 cm de fil. Repas-

ser dans les 10 premières pour former une boucle. Enfiler 6 perles sur un des brins et le placer au milieu de la boucle. Torsader les 2 brins. Enfiler 10 perles sur les 2 brins en même temps. Enfiler 20 perles sur un des brins pour commencer une nouvelle feuille, repasser dans les 10 premières pour former 1 boucle. Enfiler 6 perles sur un brin et le placer au milieu de la boucle. Enfiler à nouveau 10 perles sur les 2 fils en même temps pour continuer la

(suite page 97)

Petits cadeaux

DES FUSETTES À FOISON

FOURNITURES
Pour chaque fusette : 38 brins de lavande ● 2,50 m de ruban de 0,5 cm de large ● Ciseaux ● Pince à linge.

1 Choisir volontairement des brins de lavande avec de longues tiges et faire un bouquet de 38 brins. Nouer une extrémité du ruban à la base du bouquet, près des fleurs. Serrer fortement.

2 Retourner le bouquet et replier les tiges, sans les casser, en les rabattant sur les fleurs de façon à les enfermer régulièrement. Faire sortir le ruban – qui est resté coincé à l'intérieur – sur le côté.

3 Tresser le ruban sur toute la longueur des tiges en prenant 2 brins à la fois, et en alternant dessus dessous. Serrer fort entre chaque passage pour bien maintenir les fleurs emprisonnées.

4 Le tressage terminé, maintenir le ruban avec une pince à linge. Laisser reposer une semaine. Resserrer le ruban à l'aide d'une épingle, enrouler le reste sur la tige. Maintenir par un point de colle, faire un nœud.

Petits cadeaux

ÉCRINS PORTE-BONHEUR

FOURNITURES

Boite carrée : papier Canson et papier de soie vert, feutrine blanche, feutre fin, colle universelle ● 1 timbre récupéré.
Boite rectangulaire : papier Canson vert, papier aquarelle, aquarelles vertes, drawing gome (produit permettant de faire des réserves).
Le sachet : un sachet en organdi blanc ● Peinture Liquitex acrylique blanc et vert.

RÉALISATION

Boîte carrée : agrandir le motif à la taille du couvercle de la boîte. Découper les 2 feuilles A et les 2 feuilles B (les mêmes que A plus hautes et plus larges) dans le papier de soie puis les tiges dans le Canson. Couper les clochettes dans la feutrine. Coller le timbre dans un angle, coller les feuilles A puis les feuilles B en les froissant. Coller les tiges puis les clochettes. Dessiner le tampon au feutre.
Boîte rectangulaire : recouvrir le bas de la boîte de papier Canson vert collé et le couvercle de papier aquarelle. Agrandir le motif à la taille du couvercle, le reporter en place d'un trait léger de crayon. Remplir toutes les clochettes de drawing gome. Peindre les feuilles puis le fond en prolongeant sur la hauteur du couvercle. Enlever le drawing gome en frottant doucement avec le doigt.
Le sachet : glisser le motif agrandi à la bonne taille à l'intérieur du sachet. Peindre par transparence.

Petits cadeaux

TAPIS DE MIMOSA

FOURNITURES

Mouliné DMC, 1 écheveau de chacun des col. suivants : écru 746, jaunes, 744, 726, 444, 725 ; verts 522, 472, 986, 989, 3363 ; orangé 783 ; bleu 312 ; bleu-gris 927, 3768 et 924 ● 1 coupon de lainage écru ● Crayon transfert ● Papier-calque ● Tambour à broder.

RÉALISATION

Décalquer la branche de mimosa puis, à l'aide du crayon transfert, la reporter sur le tissu.

Broder en suivant les indications de coloris sur le schéma : les fleurs à petits points de piqûre serrés, les feuilles, les tiges les plus grosses et la cigale au passé plat, les tiges et les lignes les plus fines au point de tige.

Les fleurs sont brodées avec 3 brins du Mouliné : 1 = 744, 2 = 726, 3 = 444, 4 = 725, 5 = 2 brins 783 + 1 brin 725

(suite pages 98-99)

Petits cadeaux

MIROIR EN FLEURS

FOURNITURES

Pour garnir un miroir de 19 x 14 cm : pâte Fimo 201, 253, 205, 21 ● 3 à 4 m de fil de cuivre émaillé rose ● 1 mesure de perles « bubble-gum » rose et une mesure de perles vertes ● 1 dizaine de perles « seventies » roses ● 1 quinzaine de feuilles roses, une demi-douzaine de feuilles vertes ● 1 quinzaine d'étoiles roses ● Colle universelle.

RÉALISATION

Confectionner les roses : bien malaxer la pâte Fimo pour l'assouplir puis la rouler en boudin et l'aplatir pour former un ruban. Enrouler ensuite le ruban sur lui-même, pincer la base et la percer avec une épingle. Rouler ainsi une vingtaine de fleurs puis les cuire 30 min au four réglé à 130 °C. Pour garnir le tour du miroir, confectionner un fil de cuivre « garni » : couper un long brin, le plier en deux, le torsader sur une longueur de 1,5 cm, enfiler une perle, une fleur ou une feuille sur un des brins jusqu'à 1,5 cm de la partie torsadée. Torsader les deux extrémités du brin puis torsader de nouveaux les deux brins ensemble pendant quelques cm avant d'enfiler une nouvelle garniture sur l'autre brin (voir schéma). Continuer ainsi sur toute la longueur en alternant les garnitures. Fermer en rond en torsadant les deux extrémités ensemble. Fixer autour du miroir par quelques points de colle.

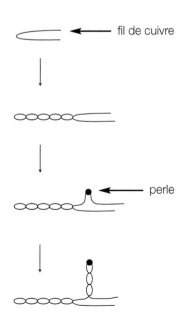

fil de cuivre

perle

Petits cadeaux

À VOS MARQUES

FOURNITURES
Abaisses langue en bois (en pharmacies) ● Peinture acrylique : blanc, pervenche, pervenche clair et bleu ● Pinceau et pinceau fin ● Papier-calque ● Carbone ● Crayon ● Vernis.

RÉALISATION
Peindre le bâtonnet avec le coloris choisi. Laisser parfaitement sécher. Décalquer le motif. Le reporter sur le bois à l'aide du carbone.
Peindre au pinceau fin. Écrire le nom de la plante le long de la tige. Passer une ou deux couches de vernis.

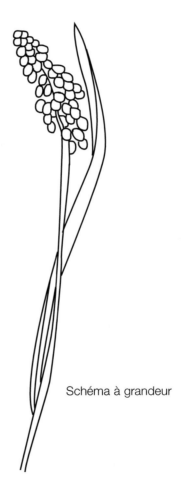

Schéma à grandeur

Petits cadeaux

PAGES EN LIBERTÉ

FOURNITURES

Carton gris de 2 mm d'épaisseur au format souhaité ● Papier épais format grand aigle (74 x 105 cm) ● Colle à relier Fléxiplé ● Tissus Liberty + tissu uni. Cutter fort ● Tissu thermocollant fin ● Feutre à tissu auto-effaçable ● Retors mat, coton perlé…

RÉALISATION

Dans le carton gris, couper 2 rectangles aux dimensions souhaitées puis 2 autres en enlevant 1,5 cm tout autour. Découper 1 rectangle de tissu uni aux dimensions des grands cartons + 1,5 cm tout autour. Appliquer du tissu thermocollant au dos des tissus qui vont servir pour les fleurs. Dessiner la forme des fleurs au feutre. Découper. Composer un bouquet sur le tissu uni. Épingler puis maintenir avec des points de broderie : point de nœud, point lancé… Broder les tiges à petits points droits.

Pour la couverture de l'album, encoller un des grands cartons. Appliquer le tissu décoré étiré, sans bulle ni faux pli. Rabattre et coller l'excédent sur l'envers. Gainer de la même façon, mais avec du papier, un carton plus petit puis les coller dos à dos pour camoufler le montage. Laisser sécher sous un poids.

Préparer le dos de l'album de la même façon en recouvrant la face extérieure de tissu fleuri.

Les pages de l'album sont pliées en accordéon : dans le papier épais, couper des bandes de la hauteur de l'album puis les plier à la largeur. À chaque fin de bande, plier un onglet qui permettra de coller les bandes les unes aux autres. Encoller la face intérieure des couvertures et y fixer les extrémités de l'accordéon.

Chambres

NUIT D'AMOUR

FOURNITURES

Drap et taies en métis ● Mouliné DMC, taie à la marguerite : rose pâle 819, roses plus foncés 3354 et 3733, vert 3347, bleu vert 3810 (écriture) ; taie au cœur : rose 3832 et 3706, vert 989, bleu clair 3811 ; drap : bleu 807, bleu clair 3811, rose 3706 et 3832, saumon 3354, clémentine 352 ● 1 aiguille à broder ● 1 feutre à tissu effaçable à l'eau.

RÉALISATION

En s'inspirant des schémas, dessiner les motifs à main levée pour qu'ils gardent un caractère naïf. Broder au point de tige et au point lancé avec 5 brins du Mouliné. Vaporiser de l'eau claire pour effacer les traits de feutre puis repasser à la pattemouille sur l'envers en appuyant la broderie sur un molleton.

(suite pages 100-101)

Chambres

COMME UN LIT
DE PÉTALES

DESSUS DE LIT
Dimensions : 80 x 200 cm

DESSUS DE LIT
2 rectangles de cotonnade et un
rectangle de ouatine synthétique
de 83 x 203 cm ● 1 grande variété
de chutes de tissu, de rubans… ●
Fil à coudre ● Ciseaux cranteurs.

RÉALISATION
Le dessus du couvre-lit est recouvert de cocardes confectionnées
ainsi : couper, aux ciseaux cranteurs, un rectangle de 20 x 66 cm.
Repasser un rentré, vers l'envers,
à chaque extrémité puis plier le rectangle envers contre envers. Passer un fil de fronces à 2 cm du bord
cranté et tirer pour former une
rosace. Faire un point d'arrêt solide
puis appliquer la cocarde sur un
des rectangles de cotonnade par
une couture solide au centre. Couvrir toute la surface de rosaces de
tailles variées. Il est inutile de plier le
tissu des roses en ruban, les bords
ne s'effilochent pas.
Confectionner le couvre-lit : poser

(suite page 102)

Chambres

FLEURS NAÏVES

FOURNITURES
**1 abat-jour recouvert de tissu ●
Plastique dingue ● Crayons de
couleurs ● Fil fin de Nylon ●
Aiguille.**

RÉALISATION
Dessiner des cercles de tailles
variées sur le plastique fou : 6, 4,
3, 7 cm (ils vont diminuer de moitié
à la cuisson). Percer un trou sur un
bord avec une emporte-pièce.
Découper les cercles. Les poser
sur des images de fleurs. Dessiner
les contours puis colorier par transparence. Faire cuire en suivant le
mode d'emploi du fabricant. Quand
ils sont complètement froids, les
coudre autour de l'abat-jour, dans le
ruban d'habillage. Bloquer éventuellement les nœuds du fil de nylon
par un point de colle.

Chambres

LE RIDEAU DE MA GRAND-MÈRE

FOURNITURES
Cordonnet 20 de DMC, 40 g col. Blanc ● 1 crochet acier n° 1,25 ● Fine toile blanche ● Fil blanc.

POINTS EMPLOYÉS
Mailles chaînettes = mch - Mailles coulées = mc - Mailles serrées = ms - Brides = br - Quintuple br : faire 5 jetés sur le crochet avant de le piquer dans une m., 1 jeté, tirer pour ramener une boucle, * 1 jeté, écouler 2 boucles du crochet * 6 fs

RÉALISATION
Couper un morceau de toile aux dimensions de la fenêtre en ajoutant 2,5 cm sur chaque hauteur, 1 cm en haut et en bas pour les ourlets. Plier et coudre les ourlets. Crocheter une chaînette à la mesure du rideau puis en suivant le schéma crocheter la grille au point fantaisie (voir schéma 1) sur la hauteur voulue, ici environ 12 cm. Crocheter les fleurs (voir schéma 2) pour garnir le bas : faire 13 mch. Fermer en rond par 1 mc. Crocheter 34 br dans ce rond. 1er pétale : 24 mch, 1 br dans la 6e m. en par-

tant du crochet, 1 br dans chacune des 14 mch suivantes, 4 ms, 1 mch pour tourner, 4 ms sur le bord opposé de la chaînette, 1 br sur les 15 m. suivantes, 2 mch, 1 mc dans la 3e mch en partant du crochet. Couper le fil. 2e pétale : raccrocher le fil sur la 3e br, 24 mch, 1 br dans la 6e mch en partant du crochet, * 1 br, 1 mch, sauter 1 m., 1 br dans la mch suivante * Reprendre de * à * 6 fois, 1 br, 4 ms, 1 mch pour tourner, 4 ms sur le côté opposé de la chaînette, * 1 br, 1 mch, sauter 1 m., 1 br sur la mch suivante * Reprendre de * à * 6 fois, 1 br, 2 mch, 1 mc dans la 3e mch en partant du crochet. Couper le fil. Alterner les pétales 1 et 2 jusqu'à en avoir 8. Une partie du cœur reste sans pétales. Accrocher le fil en A1. Crocheter un rg de ms autour des pétales en les raccordant (voir schéma). Repasser à la pattemouille. Juxtaposer les fleurs pour garnir la largeur de la grille en les faisant chevaucher légèrement. Coudre en place. En travaillant sur l'envers crocheter la bordure (voir schéma 3)

pour réunir le bord inférieur des fleurs. Coudre dans le bas du rideau en veillant à garder toute la souplesse.

(suite pages 103-104)

Chambres

FLEURS DÉLICATES

FOURNITURES

Pour chaque coussin : 100 g de coton Cébélia 10 de DMC col. Ecru ● Crochet acier n° 1,5.

POINTS EMPLOYÉS

Mailles chaînettes : mch - Mailles coulées = mc - Mailles serrées = ms - Brides = br - 8 br fermées ensemble : (1 jeté, piquer le crochet dans 1 m., 1 jeté, tirer pour ramener 1 boucle, 1 jeté, écouler 2 boucles du crochet) 8 fois, 1 jeté, écouler les 9 boucles du crochet.

RÉALISATION

Fleur A : crocheter en suivant le schéma

Grande fleur B : crocheter en suivant le schéma, Procéder de la même façon pour la petite fleur B mais en ne crochetant que 8 mch pour chaque pétale au lieu de 15.

Fleur C : crocheter en suivant le schéma

Feuilles D : commencer comme le montre le schéma. Continuer jus-

(suite pages 105-106)

Chambres

NUIT BOHÊME

FOURNITURES

1 drap violet et ses 2 taies car-
rées ● Coton perlé n° 5 de DMC :
1 échevette vert 909, turquoise vif
995, rose 891, 2 échevettes turquoise clair 996, bleu 820, violet
550, jaune 444, orange 947, rose
pâle 894, fuchsia 718 et bordeaux
3685, 3 échevettes vert 906,
rouge 666, 4 échevettes vert 907
● 1 crochet n° 2.

POINTS EMPLOYÉS

Mailles chaînettes = mch ; mailles
coulées = mc ; mailles serrées = ms ;
demi-brides = dbr ; brides = br.

RÉALISATION

Tous les motifs (fleurs rondes tricolores, marguerites tricolores, fleurs
rondes bicolores et fleurs éventails
bicolores) sont crochetés à part puis
cousus sur le drap ou les taies.
Rond de base en ms : entourer le fil
2 fois autour du pouce pour former
un cercle.
1er tour : crocheter 8 ms dans le
cercle.

(suite page 107-108)

Chambres

EN QUÊTE DE LUMIÈRE

FOURNITURES

Abat-jour en tissu ● Rubans à broder en soie de 3,5 et 7 mm de large : assortiment de roses et de rouges pour broder les fleurs, assortiment de verts pour broder les feuilles ● Tissus fleuris, rubans... ● Tissu blanc ● Colle à tissu ● Mouliné DMC, col. 472 ● 1 aiguille à broder.

RÉALISATION

Couper des morceaux de tissu blanc de la hauteur de l'abat-jour + quelques cm en haut et en bas et de 15 à 20 cm de large (mesures à adapter à l'abat-jour).

Avec les rubans, broder un semis de fleurettes au point lancé. Broder quelques feuilles de chaque côté des plus grosses fleurs. Broder les cœurs avec le Mouliné.

Coller ces morceaux brodés bien tendus sur l'abat-jour en rabattant et en collant l'excédent à l'intérieur en haut et en bas.

Couper des bandes de tissu fleuri et les coller côte à côte pour couvrir toute la surface entre les morceaux brodés.

Coller les rubans à cheval sur les lisières pour cacher les raccords.

Pour que les bords intérieurs de l'abat-jour soient plus propres, coller éventuellement un ruban de propreté pour cacher le bord de tous les tissus.

Chambres

SEMIS FLEURIS
Dimensions : 30 x 30 cm

FOURNITURES
Pour chaque coussin : 1 carré de lin blanc de 34 x 34 cm et 2 rectangles de 34 x 27 cm ● Fil blanc ● Pressions ● Fleurs en tissus.

RÉALISATION
Ourler un bord de 34 cm de chaque rectangle.

Pour former le dessous de la housse, les croiser envers contre endroit pour former un carré de 34 cm de côté.

Poser le dessous endroit contre endroit du carré. Épingler puis piquer le tour à 2 cm des bords. Retourner. Repasser.

Coudre une partie de chaque pression sur le dessus de la housse, l'autre sous une fleur en les dispersant selon la fantaisie.

Chambres

EN TRANSPARENCE

FOURNITURES

Voile de coton ● Percale blanche thermocollante Nigal ● Peintures Elbetex à tissu ● Pinceaux.

RÉALISATION

Couper le voile aux dimensions voulues + ourlets. Plier et coudre les ourlets.

Agrandir le motif à la photocopieuse à la dimension du rideau (ou à main levée). Le glisser sous la percale qui est suffisamment transparente pour laisser voir les traits. Reproduire sur le tissu à traits de crayon très légers. Découper. Glisser le dessin sous le voile pour servir de guide. Recomposer le motif sur le rideau en collant les morceaux les uns après les autres au fer chaud.

Peindre les détails sur la percale, rehausser les ombres et les lumières toujours avec des teintes claires pour ne pas alourdir. Les couleurs peuvent être utilisées plus ou moins diluées à l'eau ou plus épaisses pour donner du relief. Quand tout est bien sec fixer les couleurs au fer à repasser.

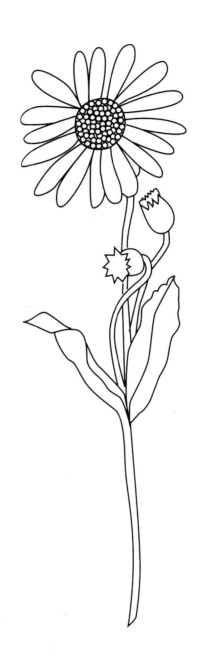

Chambres

CUEILLEZ LES MARGUERITES

FOURNITURES
1 carré de toile de lin ● Guipure blanche avec motifs fleuris présentant un cœur ● Fil à coudre blanc et fil assorti à la toile ● Feutres à tissu, coloris variés ● Petits ciseaux pointus.

RÉALISATION
Couper les lisières de la toile. Effranger les bords jusqu'à ce qu'un seul fil fasse toute la longueur du côté. Couper toutes les franges, le bord est alors parfaitement droit fil. Tirer doucement un fil à 5 cm de chaque bord du carré. Broder à la machine, avec le fil de la même couleur, un petit point zigzag à l'emplacement du fil tiré. Effranger les 4 bords, les franges ont la même longueur sur les 4 côtés et sont bloquées par le zigzag.
Découper délicatement les fleurs de la guipure. Les disperser sur la toile en un semis irrégulier. Fixer par de petits points de fil blanc autour du cœur.
Colorier les cœurs au feutre à tissu.

Chambres

JARDIN BOTANIQUE
Dimensions du motif : 30 x 30 cm

FOURNITURES

Fine toile de lin blanc : 1 carré de 32 x 32 cm (dessus), 1 rectangle de 32 x 30 cm et 1 autre de 32 x 14 cm (dessous) ● Fil à coudre blanc ● 130 cm de fin passepoil blanc.

Pâquerettes : 1 carte de ruban à broder Mokuba de 3,5 mm de large écru 535 et rose 013, Mouliné DMC jaune 728, rose 3731 et vert 320.

Digitales : 1 carte de ruban à broder Mokuba de 3,5 mm de large rose 095 et vert 340, Mouliné DMC rose foncé 3687, rose clair 778 et vert 320.

Roses trémières : 1 carte de ruban à broder Mokuba de 7 mm de large rose 034 et vert 356, Mouliné DMC 368 et 3731.

Hortensias : 1 carte de ruban à broder Mokuba de 7 mm de large bleu 214 et de 3,5 mm de large mauve 162, Mouliné DMC vert 320, bleu mauve 340.

Glycines : 1 carte de ruban à broder Mokuba de 3,5 mm de large mauve 162, Mouliné DMC vert foncé 320, vert clair 368 et jaune 728

1 tambour à broder ● 1 crayon à pointe fine ● 1 aiguille à broder pour le Mouliné et 1 autre pour le ruban ● Fil à coudre blanc.

POINTS EMPLOYÉS

Point de tige, point lancé, point de plume, point de poste, point de feston, point de nœud… Voir Leçon de points.

RÉALISATION

Surfiler le tour du dessus pour éviter qu'il ne s'effiloche. Le poser sur le schéma à grandeur en le centrant et par transparence reporter tous les motifs, au crayon, sur le tissu. Monter le tissu dans le tambour puis broder en suivant les indications de points et de coloris sur le schéma (utiliser deux brins du Mouliné) :
Pâquerettes : les pétales sont brodés en ruban, les extrémités soulignées en ruban ou Mouliné selon leur taille.
Digitales : broder d'abord le point de feston puis le bas de la fleur au point de plume. Lier les clochettes par un point lancé 320.
Roses trémières : les fleurs sont brodées soit au point de feston avec deux brins mélangés soit en ruban avec un point de nœud au centre pour les fixer. Lier les fleurs au point lancé.
Hortensia : tous les pétales sont brodés au point lancé, en soulignant quelques-uns d'un trait de ruban mauve.
Plier le tissu horizontalement, envers contre envers. Piquer à ras de la pliure, sur 18 cm centrés. Plier le tissu verticalement, envers contre envers. Piquer de la même façon. Faire ensuite quatre autres piqûres semblables, à chaque extrémité des deux précédentes pour délimiter un cadre par de fines nervures.
Bâtir le passepoil sur le dessus, arrondi tourné vers le milieu, à 1 cm des bords.

(suite page 109)

Autour de la table

RONDE DE CHAISES

FOURNITURES

Housse de chaise ● Teinture Dylon grand teint coloris fuchsia ● Peinture pour tissus : différents roses ● Carbone blanc à tissu.

RÉALISATION

Teindre la housse en suivant les indications du fabricant. Laisser sécher. Repasser. Dessiner des cercles de tailles différentes, les peindre dans un assortiment de roses obtenus par des mélanges de peintures. Laisser sécher. À l'aide du carbone reproduire les motifs agrandis sur les pastilles roses (sélectionner d'autres motifs dans des journaux de botanique, sur du papier peint…). Les peindre en rose pâle. Laisser sécher puis repasser sur l'envers pour fixer la couleur.

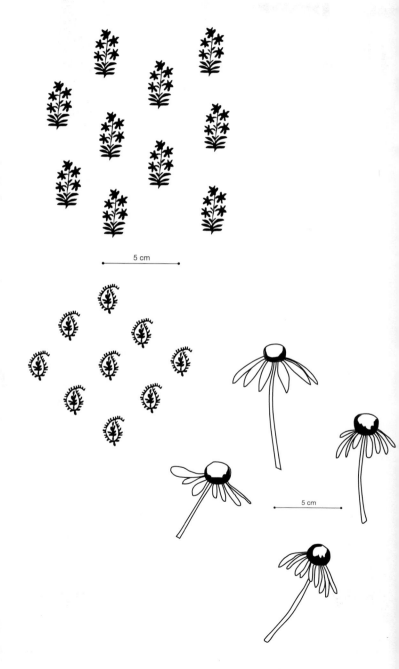

5 cm

5 cm

Autour de la table

À LA CUEILLETTE DES MÛRES

FOURNITURES

**1 torchon en lin blanc et bleu ●
Mouliné DMC : rouge 902, auber-
gine 154, vert 3362, rose 225,
jaune 725 ● Mélange de perles
violine et parme ● Carbone à
tissu.**

POINTS EMPLOYÉS

Point de bouclette, point de plume,
point de nœud, point de tige, point
lancé, passé-plat (voir leçon de
points).

RÉALISATION

Décalquer le motif à grandeur et, à
l'aide du carbone, le reporter dans
un angle du torchon.
Broder les mûres au point de nœud
avec 6 brins 154 ou 2 brins 154 +
4 brins 902. Mélanger des perles
dans le point de nœud.
Broder les feuilles en 3362 : les
2 feuilles pleines au point de plume
avec 2 brins ; le contour des feuilles
vides au point de tige avec 4 brins ;
les nervures au point de tige et point
lancé avec 1 brin ; les petites feuilles
sous les fruits au passé plat avec

3 brins ; les feuilles en relief au point
de picot : poser une épingle horizontalement à la pointe de la feuille.
En partant d'un angle de la base
de la feuille passer le fil sous
l'épingle pour revenir dans l'autre
angle, piquer l'aiguille et ressortir
entre les 2 angles. Lancer un nouveau fil jusqu'à l'épingle et revenir
dans un angle. Tisser entre les 3 fils
en remontant jusqu'à la pointe.
Enlever l'épingle et fixer la feuille par
un point en A (voir schéma).
Terminer en brodant les fleurs :
pétales au point de bouclette avec
3 brins 225, cœur au point de
nœud avec 2 brins 725.
Repasser sur l'envers en appuyant
la broderie sur un molleton.

(suite page 110)

Autour de la table

À LA SOURCE

FOURNITURES

1 carafe et un verre assortis ● Pinceau fin et moyen ● Crayon ● Gomme mie de pain ● Peinture Vitréa 160 de Pébéo, coloris d'aspect dépoli : jaune citron, rose fuchsia, vert, brun, blanc (peut être remplacé par la peinture Porcelaine 150 de Pébéo).

RÉALISATION

Dégraisser parfaitement les objets. Décalquer les motifs et les reporter sur les parties à décorer : pour le verre, il suffit de glisser le papier avec le motif à l'intérieur du verre et de travailler par transparence. Pour la carafe, si le verre est lisse utiliser un carbone, si le verre est dépoli redessiner tous les traits au crayon sur l'envers du calque. Poser le calque en place puis repasser sur tous les traits avec une pointe dure, la mine de plomb va se déposer dans le grain de la surface.

Peindre en commençant par les plus grandes zones de couleur puis en allant vers les détails de plus en plus petits. Laisser sécher 10 min entre les couches et éviter les épaisseurs trop importantes. Laisser sécher 24 h.

Cuire dans un four ménager à 160 °C, pendant 45 min. Laisser refroidir dans le four éteint.

Laver avec un produit ménager pour enlever le crayon.

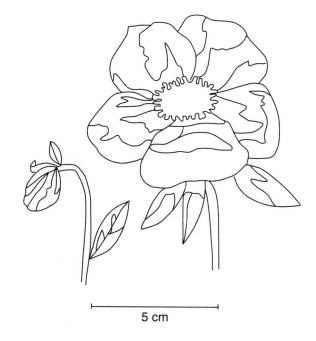

5 cm

Autour de la table

COMPTEZ-NOUS FLEURETTE

FOURNITURES

Assiettes et plats chinés ● Papier-calque ● Crayon à porcelaine disparaissant à la cuisson ● Peintures « Blythe » pour faïence et porcelaine : n°s 7, 8, 11, 12, 21, 26, 53, 57, 59, 60, 76a, 80, 102, 110 ● 1 flacon de médium gras ● 1 pinceau fin.

RÉALISATION

Bien laver la vaisselle. Décalquer les motifs à grandeur puis les reporter en place avec le crayon à porcelaine. Préparer les couleurs en mélangeant la poudre et le médium. Peindre les motifs. Les couleurs peuvent se mélanger entre elles et restent fidèles après cuisson.

Cuire à 800 °C dans un four à faïence (adresses dans les magasins de fournitures).

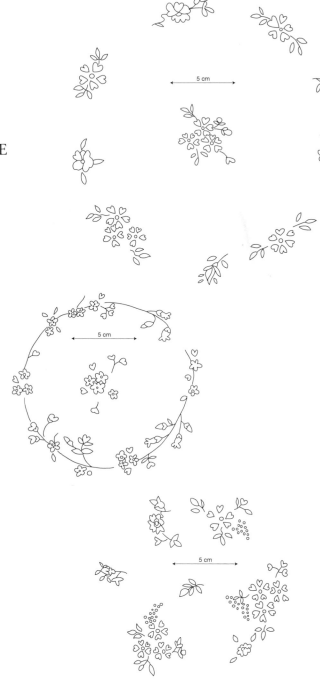

5 cm

5 cm

5 cm

(suite page 111)

Autour de la table

LE CHOIX DES FLEURS

FOURNITURES

**1 chaise recouverte de tissu ●
1,50 m de toile mauve en 1,50 m
de large ● 1,40 m d'auto-agrippant ● Peintures Textil plus de
Marabu (50 ml) : rose 033, violet
rougeâtre 050, lilas 035, blanc
870, jaune 021, vert 096 ●
4 assiettes en plastique ● 3 pinceaux ● 1 feuille de plastique
transparent (pochette à docu-
ments par exemple) ● Fil à
coudre mauve ● Rouleau de cel-
lophane.**

RÉALISATION

Si la chaise est recouverte de tissu,
on peut y fixer l'auto-agrippant pour
que la housse soit parfaitement
tendue mais il est bien évident que
la même housse peut recouvrir
n'importe quelle chaise. Elle ne sera
qu'un peu moins tendue !
En adaptant le schéma dessiner le
patron de la housse. Couper dans
la toile en ajoutant 1 cm autour pour
les coutures. Piquer endroit contre
endroit l'arrière de l'assise au bas
de l'avant du dossier. Surfiler les
rentrés de couture ensemble. Surfiler le bas du volant. Piquer le volant
autour de l'assise. Surfiler le bas du
dossier. Fermer le haut du dossier
en faisant coïncider A et B, C et D.
Fermer la hauteur du dossier. Surfiler toutes les coutures. Piquer un
rentré de 1 cm autour du volant.
Couper l'auto-agrippant en 4 morceaux de 34 cm. Fixer la partie crochet sur l'envers du volant et le bas
du dossier. Surpiquer les trois côtés
de l'assise. Envelopper le dossier
et l'assise de la chaise de cello-
phane. Enfiler la housse.
Agrandir le motif et le photocopier
11 fois. Découper grossièrement.
Épingler 10 motifs sur la housse
pour décider de l'emplacement.
Dans les assiettes, préparer, en
grande quantité, trois nuances de
roses en mélangeant : 1/3 de rose
+ 2/3 de blanc, 1/4 de violet +
1/4 de rose + 2/4 de blanc, 1/4 de
rose + 2/4 de mauve + 1/4 de
blanc. Poser la feuille de plastique
sur la dernière photocopie. Déposer
de la peinture rose sur les différentes parties. Enlever une photocopie de la housse puis appliquer le
plastique en pressant la peinture.

Nettoyer le plastique avant d'imprimer une autre fleur puis quand elles
sont sèches, déposer de la peinture verte de la même façon (1/4 de
vert + 1/4 de jaune + 2/4 de blanc).
Laisser sécher 4 h. puis repasser
à fer très chaud pour fixer la
peinture.

(suite page 112)

Autour de la table

UN BEAU BRIN DE NAPPE
Dimensions : 1,50 x 1,50 m

FOURNITURES
1,50 x 1,50 m de toile de lin écrue pour la nappe et 37 x 37 cm pour chaque serviette ● Bordure : 0,36 x 1,50 m de toile de lin bleue ● Fil écru et fil bleu ● Feutres à tissu Sétaskrib de Pébéo : gris, vert clair et vert foncé, bleus, mauves, violets.

RÉALISATION
Couper la toile bleue en 4 bandes de 9 cm de large. Plier chaque extrémité en plein biais. Marquer la pliure au fer. Poser les bandes l'une sur l'autre endroit contre endroit, 2 par 2. Piquer sur les pliures pour former un cadre. Couper l'excédent de tissu à 1 cm des bords. Ouvrir les coutures au fer. Poser l'endroit du cadre contre l'envers de la nappe. Épingler puis piquer à 1 cm des bords. Retourner le cadre sur l'endroit. Repasser. Repasser un rentré de 1 cm vers l'intérieur du cadre. Piquer sur la nappe puis sur-piquer à 0,7 cm. Plier vers l'envers un rentré de 0,5 cm puis de 1 cm autour de chaque serviette. Piquer.

Dessiner les brins de lavande à main levée en suivant la photo : les tiges en verts, les fleurs à petits traits bleus et mauves en haut des tiges. Ombrer de gris. Faites quelques essais sur une chute de tissu ou du papier avant de passer au travail sur la nappe ! Dessiner un motif différent sur chaque serviette. Repasser sur l'envers pour fixer les couleurs.

Autour de la table

BIEN DESSINÉES

FOURNITURES

1 nappe ● 1 rectangle d'organdi
de 15 x 30 cm pour chaque motif
● Mouliné DMC, 1 écheveau de
chacun des coloris suivants : 966,
726, 3031, 470, 471, 3371, 552,
991, 603, 702, 913, 996 ● 1 aiguille
à broder ● Crayon à pointe fine.

RÉALISATION

Les motifs sont appliqués sur une
nappe déjà existante. Poser les rectangles d'organdi sur les schémas
à grandeur. Les décalquer par
transparence, directement sur le
tissu en décalant une ou deux fois
pour donner du relief. Broder les
contours au point arrière avec
2 brins du Mouliné puis remplir de
lignes parallèles. Fixer les motifs dis-
persés sur la nappe par un point
dans chaque angle.

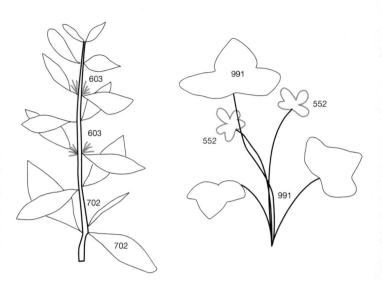

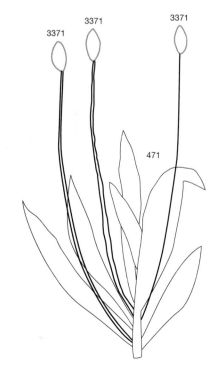

POINT ARRIÈRE
2 BRINS

913
603
996
470
603
702
991
552
966
726
3031
3371
471

(suite page 113)

Autour de la table

SEMÉ À TOUS VENTS

FOURNITURES
**Vaisselle en verre ● Pinceau fin ●
Peinture « Porcelaine 150 », cou-
leur ivoire.**

RÉALISATION
Agrandir le pissenlit choisi aux
dimensions du fond de l'assiette.
Dessiner les autres à main levée en
s'inspirant de la photo. Poser l'assiette retournée sur le dessin. Maintenir contre le fond en bourrant de
papier froissé ou avec de l'adhésif
double face. Peindre par transparence sur l'envers en suivant le
motif. Pour que le dessin soit plus
résistant aux frottements et au
lavage en machine, faire cuire la
vaisselle décorée dans un four
ménager à 150 °C (voir indications
sur l'emballage de la peinture).

Autour de la table

FRAÎCHEMENT CUEILLIES
Dimensions : 40 x 42 cm.

FOURNITURES
1 drap de coton blanc ● Papier-calque ● Carbone spécial broderie ● Crayon à pointe dure ● Tambour à broder ● Aiguille à broder ● Mouliné spécial DMC : 319, 320, 371, 502, 3813, 520, 606, 712, 727, 743, 783, 817, 900, 902, 934, 970, 987, 3013, 3052, 3348, 3350, 3364, 3687, 3689, 3712, 3777

POINTS EMPLOYÉS
Passé plat et passé empiétant avec 3 brins du Mouliné (voir leçon de points).

RÉALISATION
Décalquer les motifs agrandis sur environ 40 cm de haut, puis à l'aide du carbone les reproduire à l'emplacement choisi. Monter la toile dans le tambour puis broder en suivant les indications de points et de coloris sur le schéma. Les petites surfaces sont brodées au passé plat, les autres au passé empiétant. Repasser soigneusement à la pattemouille sur l'envers en appuyant la broderie sur un molleton.

(suite pages 114-115)

MODE

UN PEU D'OMBRE

FOURNITURES

**1 chapeau de paille avec ruban ●
Mouliné DMC, art. 117 : 1 éch.
col. brun 420 et jaune 745 ●
Ruban à broder Mokuba de
3,5 mm de large : roses 004, 009
et 081, blanc 558, vert 356 ●
Ruban à broder en 7 mm de
large : vert 356 et rose 002 (le
ruban est vendu en sachets de
5 m) ● 1 aiguille à broder, fine à
chas long ● Crayon 2 B.**

POINTS EMPLOYÉS

Point de tige, point de nœud, point
lancé, point de feuille et point de
plume (voir leçon de points).

RÉALISATION

Dessiner la tige avec le crayon gras,
sur le ruban du chapeau. Marquer
l'emplacement des fleurs et des
feuilles par de petits traits. Si le chapeau n'a pas de ruban broder un
gros-grain qui sera cousu autour.
Broder la tige au point de tige avec
3 brins de Mouliné 420. Broder le
cœur des fleurs d'un point lancé de

(suite page 116)

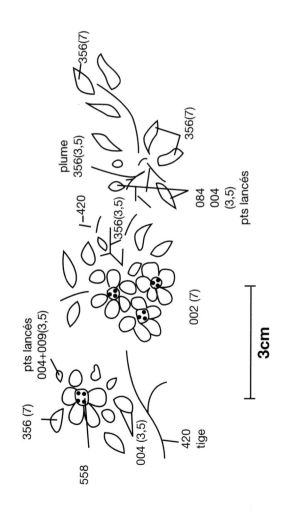

76

Mode

TOUR DE TAILLE

FOURNITURES

**50 cm de toile de Jouy fleurie ●
50 cm de cotonnade beige ●
Chutes de soie, taffetas, or-
ganza... ● Perles de rocailles et
sequins pailletés ● Fil à broder
DMC ● Pressions.**

RÉALISATION

La ceinture est composée de
3 morceaux de 15 cm de haut : le
dos et 2 devants croisés. Prendre
les mesures sur le corps, ajouter
les valeurs de croisements puis
couper les 3 morceaux en ajoutant
1 cm de couture tout autour. Ou
pour une forme plus élaborée, rele-
ver le patron sur le haut d'une jupe
droite en ajoutant un peu d'aisance
et les croisements. Découper ces
patrons dans la toile de Jouy et
dans la cotonnade beige. Découper des fleurs dans les chutes en
s'inspirant de celles du tissu.
Assembler les 3 parties de la ceinture en toile de Jouy par des
piqûres endroit contre endroit.
Ouvrir les coutures au fer. Appliquer
les fleurs découpées à petits points.
Les compléter en les brodant, en
cousant des perles et des
sequins... Confectionner la doublure beige de la même façon.
Poser les deux ceintures endroit
contre endroit. Piquer le tour en laissant une ouverture. Retourner. Fermer l'ouverture à la main. Coudre
les pressions pour fermer la ceinture.

Mode

NOCES DE FLEURS

FOURNITURES
Toile de Jouy ● Laiton fin ● Thermocollant double face ● Ciseaux.

RÉALISATION
Façonner 12 pétales de 5 tailles différentes pour les petites fleurs (18 pour les grosses) en laiton : couper une longueur de laiton, la courber pour entortiller les extrémités ensemble sur une petite longueur en formant ainsi une petite « raquette ». Découper chaque pétale dans le thermocollant double face, légèrement plus grand que la raquette de laiton puis 2 fois dans la toile. Glisser le thermocollant et le laiton entre les pétales de tissus placés dos à dos. Repasser pour assembler. Retailler le tissu. Former la fleur en entortillant ensemble les tiges des pétales, en commençant par les plus petits pour le cœur. Recouvrir la tige de tissu pour éviter qu'elle ne griffe le vêtement sur lequel elle sera fixée par une épingle.

Mode

COMME UN DIMANCHE

FOURNITURES

1 veste bleu de travail ● Assortiment de boutons blancs, boutons rouges, bouton cocarde, sequins, perles ● Ruban bleu et blanc ● Moulinés DMC blanc et rouge ● Craie tailleur ● Fils rouge et blanc.

RÉALISATION

En suivant le schéma, dessiner le bouquet à la craie, à main levée sur le dos de la veste. Broder tous les traits au point de piqûre, en rouge ou blanc, avec les 6 brins du Mouliné (voir photo). Coudre perles, boutons et paillettes pour former les fleurs. Surligner les tiges de perles cousues. Coudre le ruban.

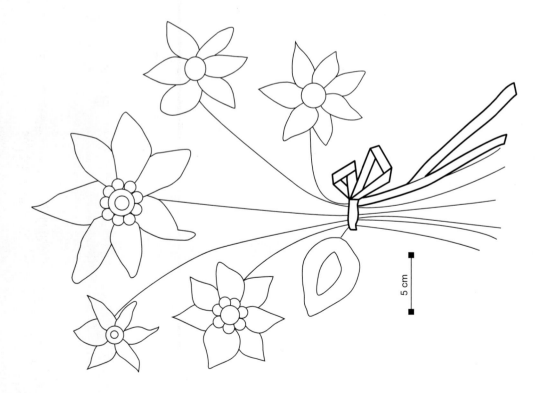

5 cm

Mode

ENSEMBLE AU JARDIN

FOURNITURES

**Tablier adulte : 1,15 m de coton-
nade impression « roses » et de
cotonnade écrue (tablier et doublure), pour la poche : 25 cm de
tissu rayé rouge et beige, 18 x
19 cm impression grosse rose,
chutes de tissu avec des petites
roses, 1 petit morceau de tissu à
carreaux rouges ● 20 cm de tissu
à carreaux bleus et de tissu à
rayures bleues ● Fil à coudre.
Tablier enfant : 15 cm de tissu
petites roses, 10 cm de tissu rayé
rouge, 30 cm de tissu rayé bleu,
65 cm de tissu grosses roses et
de fin coton blanc ● Fil à coudre.**

RÉALISATION
TABLIER ADULTE

En suivant le schéma, couper le
tablier 1 fois dans la cotonnade et
1 fois dans la doublure. Les coutures de 1 cm et l'ourlet de 4 cm
sont compris.

La poche est composée d'un fond
à rayures sur lequel sont appliquées
une grande poche plate et 2 poches
à soufflets. Fond de poche : couper 1 rectangle beige/rouge de
40 cm de large et 47 cm de haut. Le
plier endroit contre endroit pour obtenir un rectangle de 40 x 23,5 cm.
Piquer le tour à 1 cm en laissant une
ouverture au milieu d'un côté.
Retourner. Fermer l'ouverture.
Repasser. Surpiquer à 3 cm de la
pliure (= haut de la poche).

Grande poche plate : piquer un rectangle de tissu à carreaux rouges de
8 x 19 cm en haut du rectangle à
grosses roses (voir fournitures). Ourler le haut en ne laissant apparaître
que 3 cm de carreaux. Repasser les
rentrés de couture des 3 autres
côtés. Piquer sur le fond à 3 cm du
haut et 1 cm du bord gauche.

Poche centrale à soufflet : couper
un rectangle fleuri de 22 cm de large
et 37 cm de haut. Plier endroit
contre endroit pour obtenir un rectangle de 18,5 cm. Coudre comme
le fond de poche. Former un soufflet
de chaque côté pour réduire la largeur à 11,5 cm. Épingler sur le fond
à 3 cm du haut et à 0,5 cm de la
grande poche. Piquer les côtés
après avoir ouvert les soufflets,
piquer le bas après avoir fermé les
soufflets.

Petite poche à soufflet : comme la
précédente à partir d'un rectangle
rayé de 16 cm de large et 26 cm
de haut. La largeur finale est rame-
née à 6,5 cm. Piquer sur le fond, à
côté de la poche centrale mais ali-
gnée sur la poche plate. Mettre la
poche de côté.

Poser tablier et doublure endroit
contre endroit. Piquer les côtés.
Retourner. Repasser. Pour garnir le
haut de la bavette, couper un rectangle de tissu rayé bleu de 9 x
30 cm. Repasser un rentré de 1 cm
tout autour. Plier envers contre
envers puis piquer à cheval sur le
haut de la bavette. Piquer la poche
en place à travers les 2 épaisseurs.
Tour de cou : couper 2 morceaux
de 65 x 7 cm. Repasser un rentré
de 1 cm sur chaque longueur. Plier
envers contre envers. Piquer. Coudre
de chaque côté de la bavette.

Liens de taille : même travail à partir de 2 morceaux de 135 x 7 cm.
Ourler le tablier et la doublure sépa-
rément en raccourcissant la doublure de 2 cm.

(suite page 117)

Mode

ÉTÉ EN FLEURS
Taille 38

FOURNITURES

Jupon : 70 cm de tissu fleuri, 30 cm de tissu rayé, 2,10 m d'entre-deux de broderie anglaise.

Caraco : 50 cm de tissu fleuri, 50 cm de vichy, 2 m de biais blanc, 1,20 m de ruban de broderie anglaise. 4 petits boutons.

Tablier : 70 cm de tissu à carreaux, 25 cm de tissu fleuri, 40 cm de ruban de broderie anglaise, 12 mm de large.

Fil à coudre.

RÉALISATION JUPON

Couper le dos et le devant en posant le patron agrandi le long de la pliure du tissu. Couper à ras. Les coutures de 1 cm à la taille et en bas, de 1,5 cm sur les côtés sont comprises. Surfiler les côtés. Réunir dos et devant par les piqûres des côtés en laissant une ouverture de 11 cm dans le haut d'un côté. Piquer l'entre-deux en bas de la jupe. Pour le volant, couper 2 rectangles de 30 x 103 cm. Surfiler les hauteurs puis les piquer en rond.

Passer 2 fils de fonces sur un bord pour réduire à la longueur de l'entre-deux en répartissant les fronces. Piquer le volant à l'entre-deux. Ourler le bas de la jupe.

Pour la ceinture, couper un rectangle de 125 x 5 cm. Plier en deux envers contre envers, repasser puis repasser un rentré de 1 cm sur chaque bord. Passer 2 fils de fronces dans le haut de la jupe pour la réduire à 68 cm. Piquer la ceinture à cheval sur la taille en laissant dépasser 32 cm de chaque côté pour nouer sur le côté.

RÉALISATION CARACO

Reproduire les patrons à grandeur puis couper les devants dans le tissu à fleurs, le dos dans le vichy. Les coutures et ourlets sont compris. Surfiler le tour de tous les morceaux. Piquer les pinces des devants. Réunir dos et devants par les coutures des épaules, à 1 cm des bords. Piquer les côtés.

Piquer le biais autour des emmanchures et de l'encolure. Le retourner et le coudre sur l'envers.

Bords des devants : plier le bord du devant endroit contre endroit. Piquer la pointe. Retourner vers l'envers.

Ourler le bas.

Les devants croisent de 2 cm. Coudre une bande de broderie anglaise sur le bord du devant droit. Broder 4 boutonnières sur le devant droit, coudre 4 boutons sur le devant gauche à 1 cm des bords. Couper 2 morceaux de broderie anglaise de 35 cm. Les coudre dans le dos pour les nouer.

RÉALISATION TABLIER

Couper 1 rectangle de 64 cm de haut x 60 cm de large. Piquer un ourlet de 1 cm sur chaque hauteur, de 6 cm en bas et de 2 cm en haut sans fermer les extrémités pour former une coulisse.

Pour le lien, couper une bande de 4 cm sur toute la largeur du tissu. Repasser un rentré de 1 cm sur chaque longueur puis plier envers contre envers. Repasser. Piquer.

(suite page 118)

Mode

PRINCESSE DES PRÉS

ROBE
Taille : 4 ans

ROBE
60 cm de popeline de coton en 1,40 m de large ● Un peu de feutrine blanche ● 6 petits boutons de nacre verte, 1 de nacre blanche, 1 de nacre parme, 3 boutons moyens de nacre verte ● Mouliné DMC, 1 écheveau 3347, 3348, 3742. 50 cm de gros grains vert anis de 0,5 cm de large ● Fil à coudre assorti ● Ciseaux cranteurs.

RÉALISATION
Reproduire le patron à grandeur. Les coutures et l'ourlet de 1 cm sont compris. Couper le dos, le devant et les parmentures en plaçant les milieux sur la pliure du tissu puis couper une bande de 5 x 140 cm pour le volant.
Surfiler les côtés du dos, du devant et des parmentures, le bas du dos et du devant.
Assembler dos et devant de la robe et de la parmenture par les coutures des côtés. Épingler la parmenture endroit contre endroit de la robe.
Pour les bretelles, couper 2 morceaux de gros-grain de 12 cm. Glisser les extrémités entre robe et parmenture, dans le prolongement des emmanchures.
Confectionner une petite bride de tissu, la positionner sur un bord de la fente du dos, entre les 2 épaisseurs.
Piquer le haut de la robe à 0,7 cm des bords, sauf sur la fente du dos qui sera piquée sur le tracé. Ouvrir la fente. Retourner la parmenture sur l'envers. Repasser.
Fermer le volant en rond en piquant les extrémités l'une sur l'autre. Ourler un bord, surfiler l'autre. Le froncer pour le réduire à la mesure du bas de la robe. Piquer endroit contre endroit en bas de la robe. Avec les ciseaux cranteurs, découper des feuilles dans les chutes de tissu, 4 pastilles dans la feutrine blanche. Appliquer les pastilles par des points lancés roses sur les dents. Coudre les boutons pour former les cœurs et les boutons de fleurs. Broder les tiges, broder les feuilles au point avant. Coudre les 2 boutons pour l'insecte, broder les ailes et les antennes. Coudre un bouton pour fermer la fente du dos.

POCHETTE
Dimensions : 30 x 23,5 cm

POCHETTE
40 cm de lin vert et de popeline verte ● 60 cm de gros-grain moyen ● 9 boutons cœurs ● 10 petits boutons parme ● Mouliné DMC, 1 écheveau 3342 et 3713 ● Fils à coudre assortis.

RÉALISATION
Couper un rectangle de 60 x 33 cm dans le lin et la popeline. Les poser endroit contre endroit. Piquer le tour à 1,5 cm des bords en laissant une ouverture au milieu d'un côté. Retourner. Fermer l'ouverture à la main. À 2,5 cm d'un bord de 57 cm, coudre les boutons de nacre avec le fil parme, tout en dessinant une ligne, puis coudre les boutons cœurs avec le fil rose en quinconce, 2,5 cm plus haut.

(suite page 119)

Mode

UN GRAND SAC D'AIR PUR

FOURNITURES
1 sac à dos ● Peinture Sétacolor de Pébéo : jaune citron 17, bouton d'or 13, blanc 10, vert anis 32, vert printemps 24, bleuet 57, cerise 50 ● Pinceau ● Papier-calque ● Carbone à tissu.

RÉALISATION
Décalquer les motifs à grandeur. Les reporter sur le sac à l'aide du carbone en tendant bien le tissu (glisser par exemple une planche ou des livres à l'intérieur pour tendre le tissu sur une surface plane).
Peindre les motifs en blanc. Laisser sécher.
Peindre les feuillages avec les différents verts, seuls ou mélangés.
Peindre le cœur des camomilles en mélangeant les 2 jaunes, les fleurs avec un dégradé de bleu (bleuet avec plus ou moins de blanc), les fleurs de trèfle avec un mélange de cerise et de blanc.
Sécher au séchoir à cheveux.
Repasser pour fixer les couleurs.

(suite page 120)

Mode

EXQUISE ESQUISSE

FOURNITURES

**1 blouse de peintre ● 1 morceau
de canevas tire-fils réf. DC 77, 25
x 25 cm ● 1 feuille de papier-
calque ● 1 feuille de carbone spécial broderie ● 1 crayon à mine
dure ● 1 tambour à broder ●
Mouliné DMC, art. 117, 1 échevette de chacun des col. suivants
pour la ciboulette : 3859, 3858,
3857, 316, 3689, 3835, 3834, 500,
3345, 3346 ; pour le fenouil : 3823,
3819, 471, 3346, 935, 319, 502,
368, 3865, 987.**

POINTS EMPLOYÉS

Point de tige, point lancé, point de
bouclette, point de croix (avec deux
brins), point lancé (avec un brin) voir
Leçon de points.

RÉALISATION

Fenouil : bâtir le canevas sur la
poche gauche. Broder au point de
croix en partant du centre de la
grille, chaque point à cheval sur un
croisement du canevas. Couper le
canevas autour de la broderie puis

(suite page 121-122)

Mode

OMBRELLE D'ÉTÉ
Dimensions de la broderie : 43 x 30 cm

FOURNITURES
**1 grande ombrelle de tissu écru ●
Papier-calque ● Crayon transfert
● Tambour à broder ● Aiguille à
broder à bout rond n° 20 ●
Mouliné DMC, art. 117, 2 éch.
coloris 930 et 926, 1 éch. de chacun des coloris suivants : 90, 126,
3747, 793, 928, 932, 372, 370, 3820,
522, 502, 501, 3810, 930, 926.**

POINTS EMPLOYÉS
Point de tige - Point lancé - Passé
empiétant - Passé plat (voir leçon
de points).

RÉALISATION
Décalquer le motif. Redessiner tous
les traits, sur l'envers, au crayon
transfert. Enlever l'embout qui main-
tient le tissu sur une baleine pour
travailler plus facilement. Poser le
calque sur le tissu. Repasser à fer
très chaud pour transférer le motif.
Installer sur le tambour. Tout le travail est réalisé avec 6 brins du Mouliné en suivant les indications de
points et de coloris sur le schéma.
Fleurs de chardon : broder d'abord
les feuilles puis, avec 3 brins 126
+ 3 brins 793, broder des points
lancés de l'extérieur vers l'intérieur.
Donner ensuite des reflets de
lumière avec quelques points 3747.
Repasser sur l'envers, à la vapeur,
en appuyant la broderie sur un molleton. Remonter l'embout sur la
baleine.

(suite pages 123)

Cahier d'explications

(suite de la page 8)

peindre les couleurs les plus claires. Laisser sécher puis les retravailler avec des couleurs plus denses pour donner du relief. Passer une ou 2 couches de vernis pour protéger les motifs.

Percer un trou de chaque côté de la boîte ronde pour y glisser l'extrémité du cordon et la nouer à l'intérieur.

Beaucoup de cartes postales anciennes proposent des motifs fleuris de ce style. Il est alors facile de les décalquer pour les reproduire après les avoir agrandis ou de s'en inspirer pour le choix des couleurs.

5 cm

(suite de la page 14)

(suite de la page 22)

points glissés avec un fil assorti en pliant les 3 mm au fur et à mesure. Appliquer ensuite les feuilles de la même façon (sauf celles du pot) puis les fleurs : en commençant par celles de l'arrière-plan, épingler les pétales en place en les superposant puis les coudre à petits points avec un fil assorti en pliant les 3 mm vers l'envers avec la pointe de l'aiguille. Reporter les motifs de matelassage sur le pot de fleurs. L'appliquer en place. Appliquer les 2 dernières feuilles.

Broder tous les pistils au point de tige surmonté d'un petit point de nœud. Souligner les tiges au point de tige.

Broder le matelassage pour faire ressortir les motifs.

Le bouquet appliqué ici sur le fond matelassé d'une tenture murale peut être utilisé pour garnir un coussin, un dessus-de-lit... Le tour des motifs sera alors matelassé en même temps que le fond.

branche puis réaliser une nouvelle feuille et ainsi de suite jusqu'à l'extrémité du fil en gardant quelques centimètres pour la fixation sur le cadre. Torsader les fleurs et la branche ensemble pour former un bouquet.

Réaliser 6 autres bouquets en variant le nombre et la taille des pétales et des branches.

Papillon : enfiler 10 perles à 5 cm d'une extrémité d'un fil de 50 cm. Torsader le fil 2 fois pour former une boucle. Enfiler 20 perles sur le brin le plus long et faire le tour de la 1re boucle. Torsader. La 1re aile est terminée. Réaliser 4 ailes semblables à la suite sur le même fil. Pour le corps, enfiler 8 perles puis 5 perles à la suite pour la 1re antenne. Repasser dans les 4 avant-dernières perles. Enfiler 5 perles pour la 2e antenne et repasser dans les 4 avant-dernières. Les antennes sont termi-

nées. Enfiler 20 perles pour continuer le corps, replier le fil en remontant vers les ailes, enfiler 12 perles. Torsader les 2 extrémités du fil. Le papillon est terminé.

Percer des trous dans le cadre aux emplacements prévus pour les motifs. Passer les tiges dans les trous et enrouler les fils sur eux – mêmes au dos du cadre pour bloquer les motifs.

Cahier d'explications

Suite de la page 28.

Les feuilles sont brodées avec 2 brins mélangés : A = 3363 + 989, B = 3363, C = 927 + 989, D = 927 + 3363, E = 522 + 3768, F = 986 + 989, G = 3768 + 989, H = 927 + 522, J = 3768 + 986, K = 927 + 924, L = 3768 + 924, M = 986 + 924, N = 3363 + 924, R = 924, S = 989, T = 522, V = 986, X = 3768, Y = 3768 + 927.

Les tiges et les nervures des feuilles sont brodées avec 1 brin 522 + 1 brin 472, les yeux de la cigale avec 2 brins 989, les ailes avec 2 brins 746, les pattes avec 2 brins 312 et le corps avec 2 brins 312 ou 2 brins 783 pour dessiner les rayures. Cerner les ailes et marquer les nervures avec 1 brin 312. Repasser sur l'envers en appuyant la broderie sur un molleton.

Ourler le lainage qui deviendra châle, tapis de table, jeté de canapé…

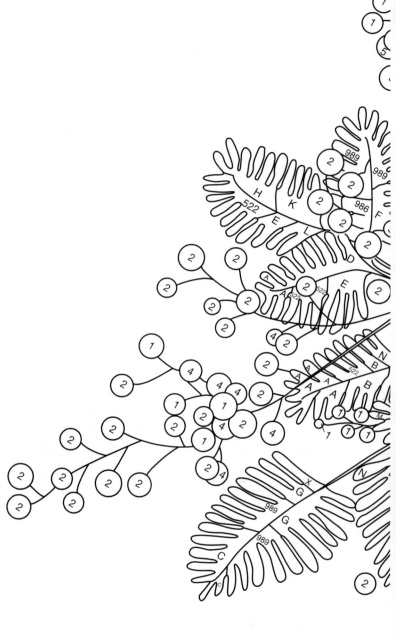

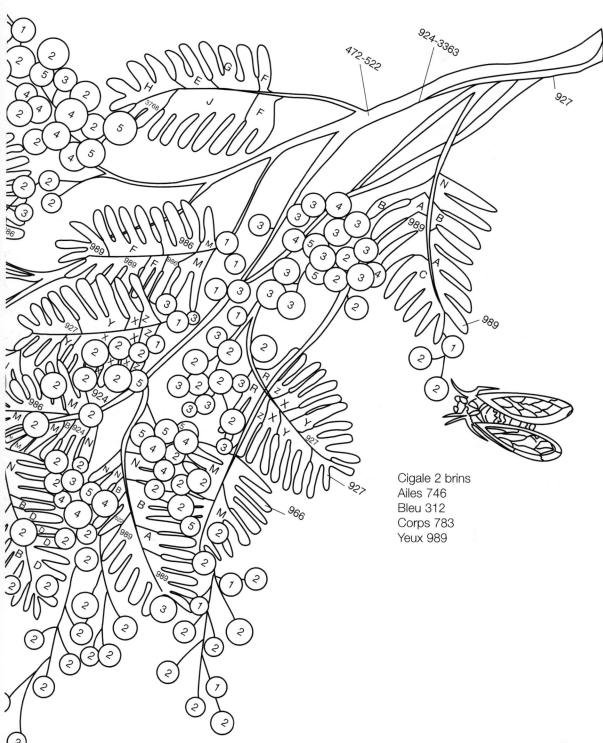

Cigale 2 brins
Ailes 746
Bleu 312
Corps 783
Yeux 989

Cahier d'explications

DMC Mouliné N° 961
Broder Spécial N° 20

ω Fleurs, point de poste N° 20
⌕ Feuilles, point de plume N° 20
• Point de noeud N° 961 (3 brins)
  contour, point d'épire N° 961 (3 brins)

(suite de la page 36)

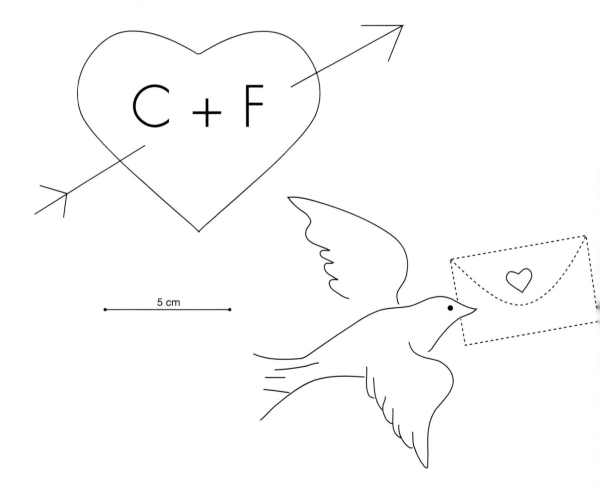

C + F

5 cm

un peu beaucoup, passionement, à la folie, pas du tout...

Je t'aime...

5 cm

Cahier d'explications

(suite de la page 38)

les deux rectangles de cotonnade, endroit contre endroit. Les poser sur la ouatine. Piquer le tour à 1,5 cm des bords en laissant une ouverture au milieu d'un côté. Dégarnir les angles. Retourner. Fermer l'ouverture à la main.

HOUSSE DE COUSSIN FLEURIE
Dimensions : 50 x 60 cm

HOUSSE DE COUSSIN FLEURIE
Pour chaque housse : 63 x 124 cm de tissu ● Fil à coudre ● Laine à broder DMC : 4 ou 5 coloris pour chaque housse ● 1 aiguille à broder ● 1 feutre à tissu.

RÉALISATION
Délimiter un rectangle de 50 cm de haut au centre du tissu (= dessus du coussin). Pour chaque fleur, dessiner au feutre un cercle d'environ 75 mm de diamètre, le diviser grossièrement en cinq. Broder les fleurs : sortir l'aiguille sur l'endroit en un point du cercle, la piquer en arrière pour ressortir dans le premier point en conservant une grande boucle qui forme le pétale. Repiquer en arrière dans le même point pour faire un point arrière qui va bloquer la boucle mais sortir deux points en avant pour commencer un nouveau pétale…

Confectionner la housse : plier vers l'envers sur chaque bord de 63 cm, un rentré de 1 cm puis de 2 cm. Piquer. Plier les extrémités endroit contre endroit de part et d'autre du dessus en les croisant. Piquer les côtés à 1,5 cm des bords. Retourner la housse.

HOUSSE DE MATELAS
Pour un matelas mousse de : 90 x 200 cm, 5 cm d'épaisseur

HOUSSE DE MATELAS
4,10 m de tissu fleuri en 1,40 m de large ● 12 m de passepoil contrasté ● Fil à coudre ● Machine à coudre avec pied ganseur.

RÉALISATION
Pour le dessus et le dessous de la housse, couper un rectangle de 202 x 92 cm. Arrondir les angles. Pour le tour couper une bande de 574 x 7 cm (en piquant plusieurs morceaux bout à bout).

Fermer la bande du tour en rond en piquant les extrémités l'une sur l'autre, endroit contre endroit, à 1 cm des bords. Ouvrir la couture au fer. Bâtir le passepoil sur chaque côté de la bande, bourrelet vers le centre, à 1 cm du bord. Pour raccorder le passepoil, couper le cordon au cœur du tissu puis réunir à petits points les bords du tissu. Piquer la bande du tour, endroit contre endroit au dessus en piquant à ras du passepoil puis faire le même travail avec le dessous en laissant une ouverture de 70 cm à une extrémité. Glisser le matelas dans la housse puis fermer l'ouverture à la main.

(suite de la page 42)

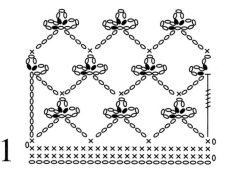

1

2

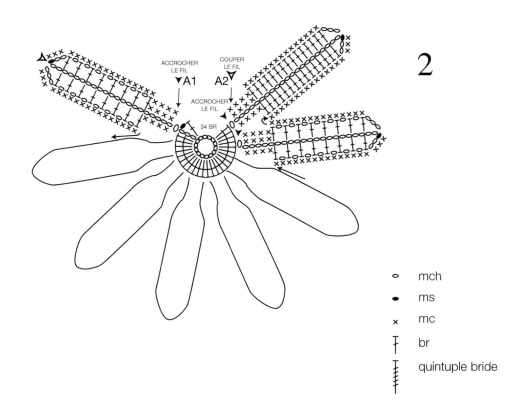

ACCROCHER LE FIL ▼A1

COUPER LE FIL A2▼

ACCROCHER LE FIL ▼

34 BR

◦	mch
●	ms
×	mc
⊤	br
	quintuple bride

Cahier d'explications

→

3

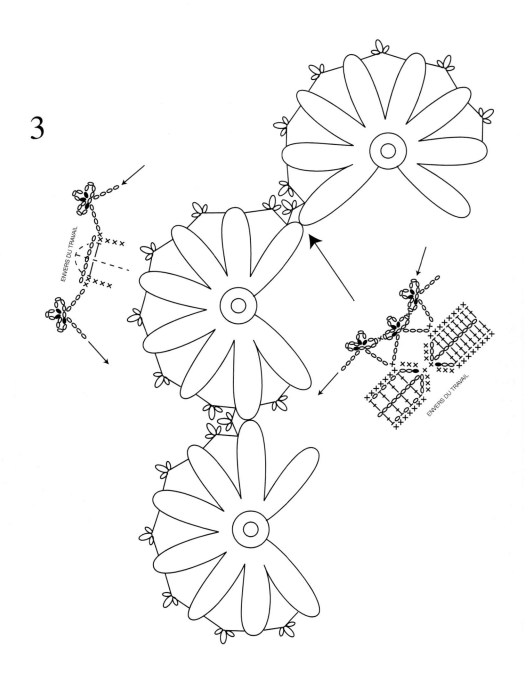

ENVERS DU TRAVAIL

ENVERS DU TRAVAIL

(suite de la page 44)

En suivant le schéma et les photos coudre les motifs sur des taies d'oreiller.

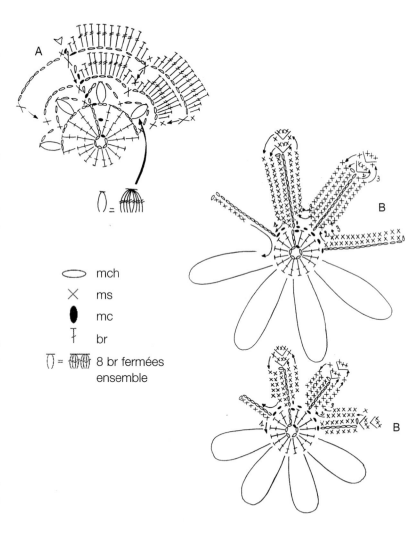

qu'à obtenir 9 nervures de chaque côté.

Petite boule : 3 mch. Fermer en rond par 1 mc. Crocheter 6 ms dans ce cercle puis en tournant crocheter 2 ms dans chaque m. au tour suivant puis 2 ms toutes les 2 m. au 3e tour et 2 ms toutes les 3 m. au 4e tour = 24 m. Refermer la boule en faisant une diminution toutes les 3 m. puis toutes les 2 m. puis 1 m. sur 2. Glisser du bourrage dans la boule, passer le fil dans les m. et serrer.

Grosse boule : même travail que pour la petite mais en crochetant au départ 8 ms dans le cercle au lieu de 6.

Tige : crocheter une chaînette de 88 m. + 1 pour tourner. Crocheter 2 rgs de ms puis fermer la tige sur sa longueur en piquant 1 rg de mc dans le rg de montage et le 2e rg de ms.

Repasser chaque motif à la patte mouille sur l'envers.

⬤ = mch

✕ = ms

⬤ = mc

⊤ = br

⎰⎱ = 8 br fermées ensemble

➡

Cahier d'explications

→

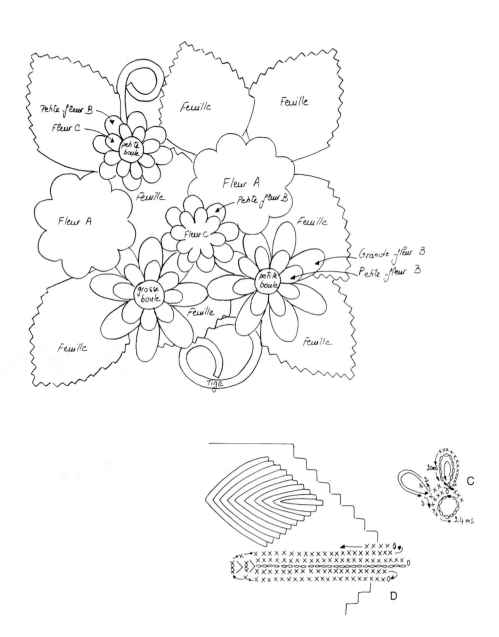

(suite de la page 46)

Dans chacune des 7 harmonies données ci-dessous, crocheter 1 fleur ronde de chaque taille :
1 : A = 906, B = 3685, C = 996
2 : A = 995, B = 550, C = 907
3 : A = 891, B = 907, C = 394
4 : A = 894, B = 718, C = 947
5 : A = 3685, B = 444, C = 666
6 : A = 906, B = 820, C = 666
7 : A = 666, B = 907, C = 550.

On a 21 fleurs rondes tricolores. Marguerites tricolores (voir schéma) : Pour le cœur, crocheter les 3 premiers rgs du rond de base col. A = 18 m. Crocheter le 4e rg en B en formant les pétales puis le 5e en C. Confectionner une marguerite dans chacune des 7 harmonies ci-dessus puis en inversant A et C = 14 marguerites.

2e tour : * 2 m. dans 1 m., 1 m. * = 12 m.

3e et 4e tours : comme le 2e = 27 m.

5e et 6e tours : * 2 m., 2 m. dans 1 m. * = 48 m.

7e tour : * 3 m., 2 m. dans 1 m. * = 60 m.

Ces ronds, plus ou moins grands, forment le cœur des fleurs rondes tricolores sur lesquels sont crochetés les pétales. Pour chaque pétale : * 1 ms dans 1 m., sauter 2 m., 7 br dans la m., suivante, sauter 2 m. *. Terminer par 1 tour de ms en piquant 1 ms sur ch. m. des pétales.

Grandes fleurs : crocheter des cœurs de 7 rgs (6 rgs col. A, 1 rg col. B) puis 10 pétales col. C bordés en B

Fleurs moyennes : crocheter des cœurs de 6 rgs (5 rgs col. A, 1 rg col. B) puis 8 pétales col. C bordés en B

Petites fleurs : crocheter des cœurs de 5 rgs (4 rgs col. A, 1 rg col. B) puis 6 pétales col. C bordés en B.

Marguerites tricolores

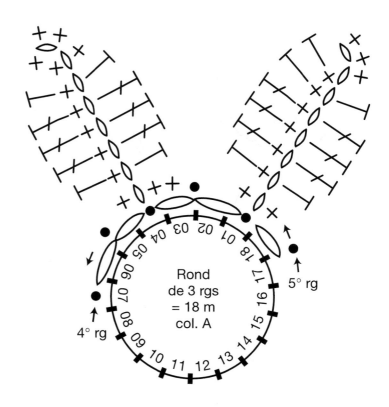

Cahier d'explications

➜

Fleurs bicolores rondes :
Pour le cœur, crocheter les 5 premiers rgs du rond de base = 36 m.
puis les pétales : * 1 ms, 5 mch *.
Confectionner 4 cœurs 666 avec
pour une fleur des pétales 996, une
autre 894, 444 et 906 ; 4 cœurs
3685 avec des pétales 907, 947,
444, 996 ; 4 cœurs 907 avec des
pétales 3685, 820, 718 et 666 =
12 fleurs bicolores rondes.

Fleurs bicolores « éventail »
Pour la tige faire 20 mch col. A,
crocheter 1 rg de mc sur chaque
côté de la chaînette en piquant
3 m. à la pointe pour tourner. Une
fois revenu au point de départ
commencer le calice en crochetant

1er rg : 2 mch remplaçant la 1e
dbr puis 5 dbr dans la m. de la
pointe

2e et 4e rgs : 2 mch remplaçant
la dbr, 1 dbr sur chaque m.

3e rg : 2 mch remplaçant la 1re dbr,
* 1 dbr sur la 1re dbr, 2 dbr dans
la m. suivante * 2 fs, 1 dbr dans la
dernière m.

Changer de couleur et pour les
pétales, crocheter :

5e rg : 3 mch remplaçant la 1e br,
* 1 br sur la 1re br, 2 br dans la m.
suivante * 3 fs, 1 br dans la dernière br.

6e rg : 3 mch remplaçant la 1re br,
1 br sur les 3 m. suivantes, 2 br
sur la m. suivante, 1 br sur les 2 m.
suivantes, 2 br sur la m. suivante,
1 br sur les 3 m. suivantes

7e rg : * 3 mch, 1 ms sur chaque
m. * Arrêter.

Crocheter 9 fleurs avec tige et calice
907 et pétales 666, 550, 3685 et
718 ; 9 fleurs avec tige et calice 906
et pétales 444, 995 et 820 ; 8 fleurs
avec tige et calice 909 et pétales
996, 894, 947 et 891.
Rentrer tous les fils sur l'envers.
Repasser les fleurs sur l'envers en
les appuyant sur un molleton.
Coudre les fleurs à points solides
en les dispersant selon la fantaisie.

Piquer un double rentré de 1 cm
sur un bord de 32 cm de chaque
rectangle du dessous. Les croiser
endroit contre envers pour former
un carré de 32 cm de côté. Poser
dessus et dessous endroit contre
endroit. Piquer le tour à 1 cm des
bords. Retourner.

(suite de la page 56)

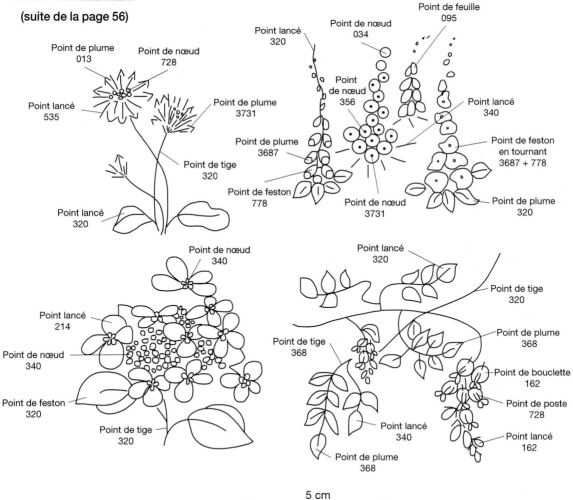

Point de plume
013

Point de nœud
728

Point lancé
535

Point de plume
3731

Point de tige
320

Point lancé
320

Point lancé
320

Point de nœud
034

Point de feuille
095

Point
de nœud
356

Point lancé
340

Point de plume
3687

Point de feston
en tournant
3687 + 778

Point de feston
778

Point de nœud
3731

Point de plume
320

Point de nœud
340

Point lancé
320

Point de tige
320

Point lancé
214

Point de plume
368

Point de nœud
340

Point de tige
368

Point de feston
320

Point de bouclette
162

Point de poste
728

Point de tige
320

Point lancé
340

Point lancé
162

Point de plume
368

5 cm

Cahier d'explications

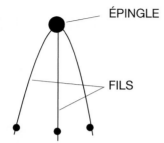

(suite de la page 60)

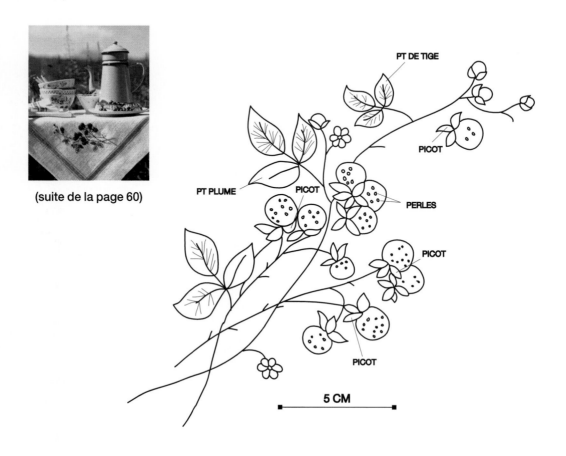

PT DE TIGE

PT PLUME

PICOT

PICOT

PERLES

PICOT

PICOT

5 CM

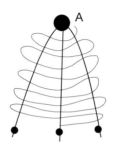

ÉPINGLE

FILS

A

(suite de la page 64)

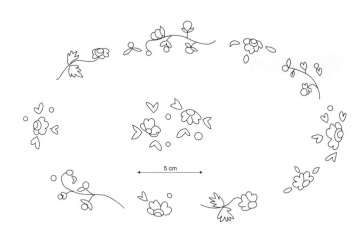

5 cm

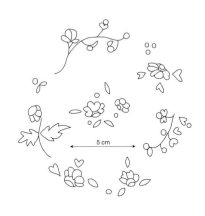

5 cm

Cahier d'explications

(suite de la page 66)

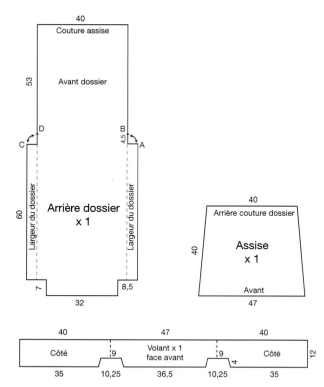

40
Couture assise

53

Avant dossier

D

C

B

4,5

A

60

Largeur du dossier

Largeur du dossier

**Arrière dossier
x 1**

7

32

8,5

40
Arrière couture dossier

40

**Assise
x 1**

Avant

47

40   47   40

Côté   9   Volant x 1
face avant   9   4   Côté

12

35   10,25   36,5   10,25   35

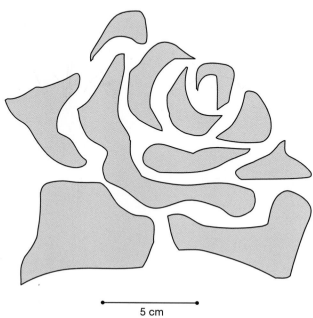

5 cm

(suite de la page 70)

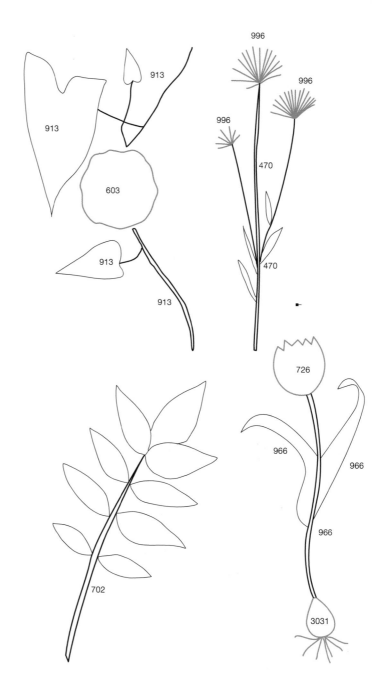

913

913

603

913

913

996

996

996

470

470

726

966

966

966

3031

702

Cahier d'explications

(suite de la page 74)

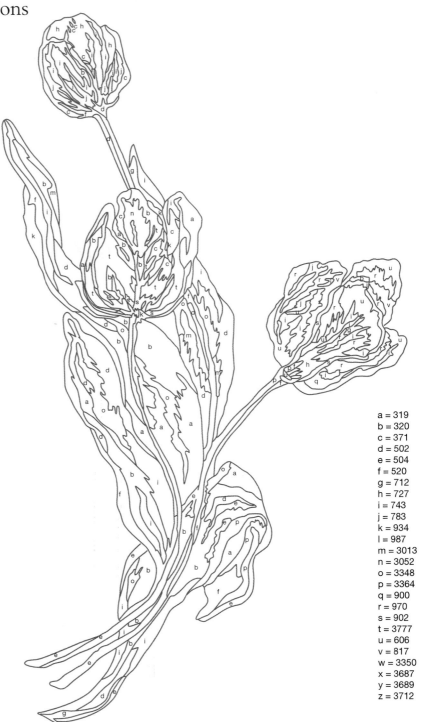

a = 319
b = 320
c = 371
d = 502
e = 504
f = 520
g = 712
h = 727
i = 743
j = 783
k = 934
l = 987
m = 3013
n = 3052
o = 3348
p = 3364
q = 900
r = 970
s = 902
t = 3777
u = 606
v = 817
w = 3350
x = 3687
y = 3689
z = 3712

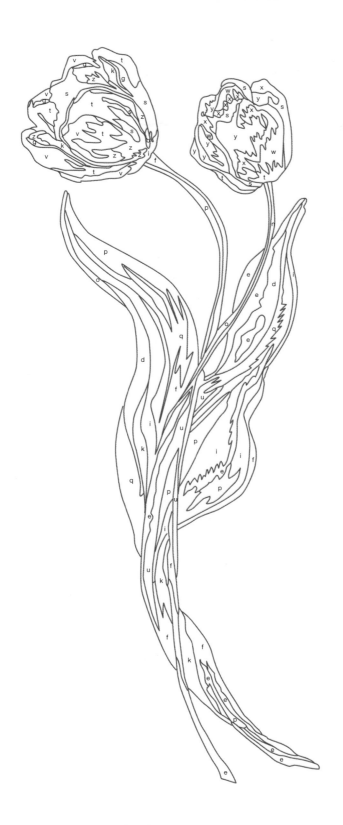

Cahier d'explications

(suite de la page 76)

ruban blanc. L'entourer de petits points de nœuds avec 3 brins de Mouliné 745. Broder ensuite tous les pétales et feuilles aux point lancé, point de feuilles et point de plume en suivant les indications de coloris sur le schéma, ou votre imagination. La broderie au ruban n'est pas très précise, le ruban se place différemment d'un point sur l'autre, c'est ce qui fait tout son charme. Broder 3 branches fleuries, régulièrement espacées. Pour commencer ne pas faire de nœud à l'extrémité du ruban. Arrêter les extrémités, sur l'envers, par quelques points de Mouliné.

(suite de la page 84)

RÉALISATION
TABLIER ENFANT

En suivant le schéma, couper le tablier 1 fois dans la cotonnade et 1 fois dans la doublure. Les coutures de 1 cm et l'ourlet de 4 cm sont compris.

Poches : pour chaque poche, piquer endroit contre endroit, un rectangle de 5 x 15 cm de tissu rayé en haut d'un rectangle de 14 x 15 cm de tissu petites roses. Poser sur un morceau de doublure de même taille. Piquer le tour en laissant une ouverture. Retourner. Repasser. Fermer l'ouverture. Assembler ensuite comme le tablier d'adulte. Garnir le haut de la bavette de tissu rayé (7 x 26 cm). Tour de cou : à partir de 2 morceaux de 50 x 6 cm, liens de taille : à partir de 2 morceaux de 80 x 6 cm.

Piquer les poches en place. Ourler le bas.

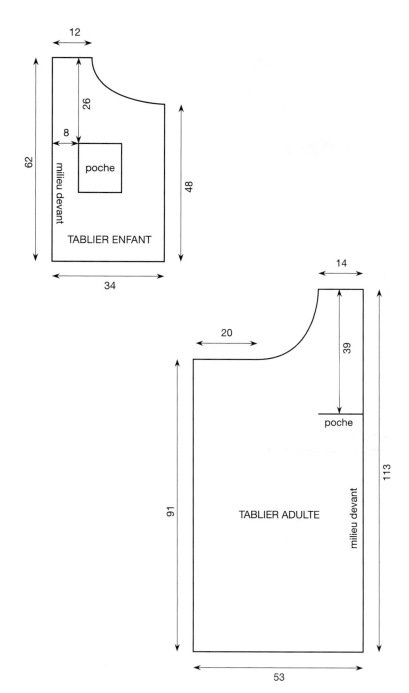

Cahier d'explications

(suite de la page 86)

Glisser dans la coulisse de la taille. Poches : couper 2 rectangles de 23,5 cm de haut x 19 cm de large. Piquer de la broderie anglaise à 4 cm du haut puis faire un ourlet de 2,5 cm. Repasser un rentré de 1,5 cm sur les 3 autres côtés. Piquer les poches à 12 cm du haut, 4 cm des côtés.

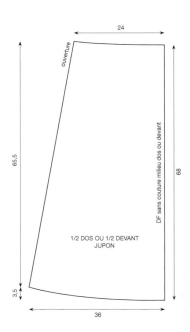

1/2 DOS OU 1/2 DEVANT JUPON

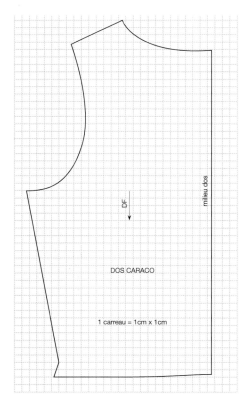

DOS CARACO

1 carreau = 1cm x 1cm

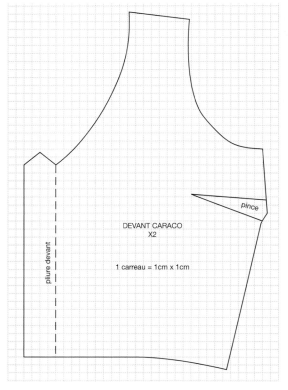

DEVANT CARACO
X2

1 carreau = 1cm x 1cm

Cahier d'explications

(suite de la page 88)

Former la pochette en pliant une extrémité, envers contre envers sur 23,5 cm. Piquer les hauteurs à 2 mm. Le reste forme rabat. Couper le gros-grain en 2 parties égales. Coudre une moitié sur un bord du rabat, l'autre au milieu de la pochette. Nouer pour fermer.

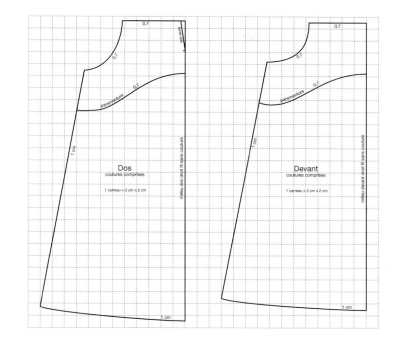

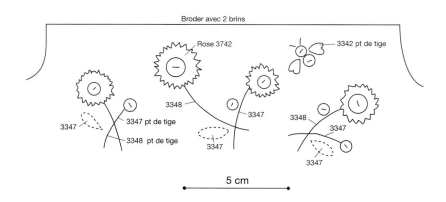

Broder avec 2 brins

Rose 3742

3342 pt de tige

3348

3347

3347

3347 pt de tige

3348 pt de tige

3347

3347

3348

3347

3347

5 cm

Cahier d'explications

(suite de la page 90)

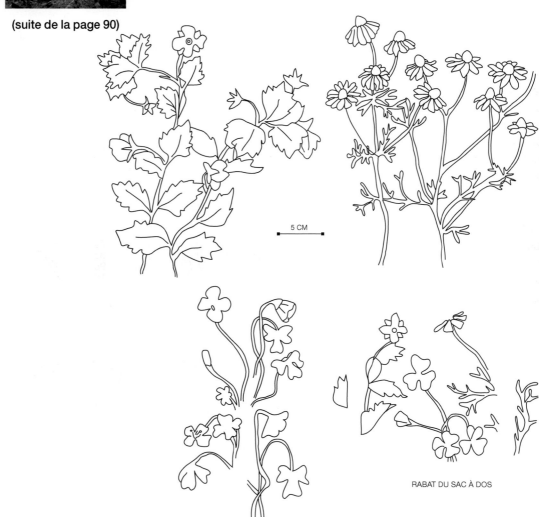

5 CM

RABAT DU SAC À DOS

(suite de la page 92)

POINTS UTILISÉS
a = point de tige
b = point lancé
c = point de bouclette

COLORIS
1 = 3867
2 = 3858
3 = 3859
4 = 500
5 = 3346
6 = 3345
7 = 3689
8 = 316
9 = 3885
10 = 3834

arracher délicatement les fils du canevas. Si un des fils est pris dans la broderie ne pas insister mais le couper à ras.

Ciboulette : décalquer le motif agrandi. Le poser sur la blouse, au-dessus de la poche droite, glisser le carbone entre les deux. Redessiner tous les traits pour les imprimer sur le tissu. Broder en suivant les indications de points et de coloris sur le schéma. Chaque fleur est brodée avec 4 coloris : disposer la plus claire en haut, la plus foncée en bas. Repasser sur l'envers en appuyant la broderie sur un molleton.

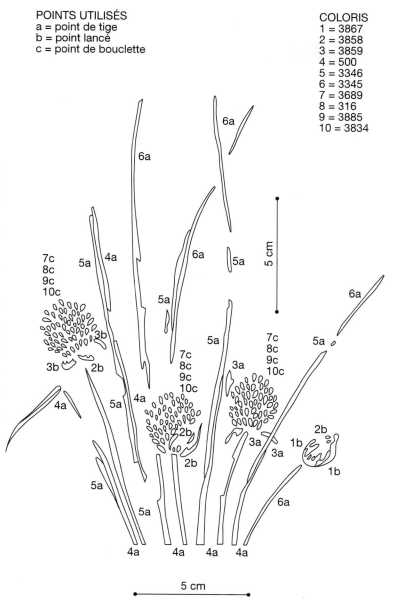

5 cm

Cahier d'explications

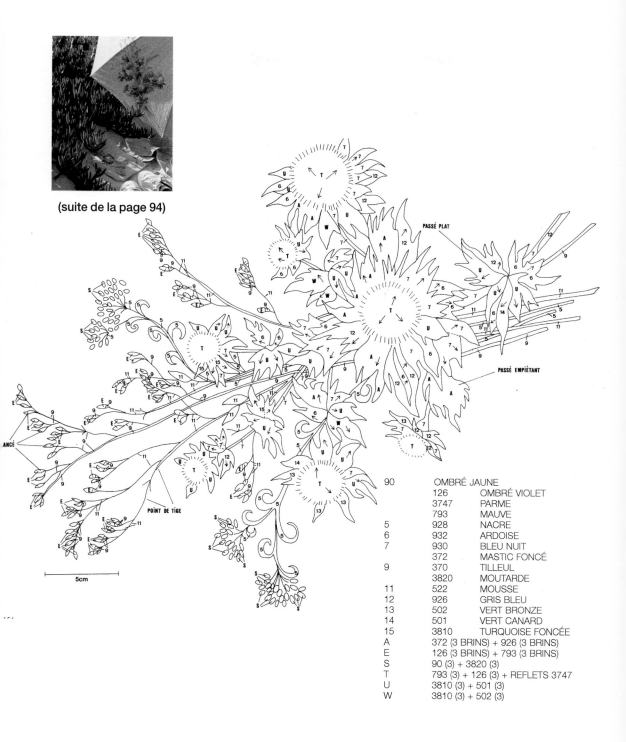

(suite de la page 94)

PASSÉ PLAT

PASSÉ EMPIÉTANT

POINT DE TIGE

5cm

90		OMBRÉ JAUNE
	126	OMBRÉ VIOLET
	3747	PARME
	793	MAUVE
5	928	NACRE
6	932	ARDOISE
7	930	BLEU NUIT
	372	MASTIC FONCÉ
9	370	TILLEUL
	3820	MOUTARDE
11	522	MOUSSE
12	926	GRIS BLEU
13	502	VERT BRONZE
14	501	VERT CANARD
15	3810	TURQUOISE FONCÉE
A	372 (3 BRINS) + 926 (3 BRINS)	
E	126 (3 BRINS) + 793 (3 BRINS)	
S	90 (3) + 3820 (3)	
T	793 (3) + 126 (3) + REFLETS 3747	
U	3810 (3) + 501 (3)	
W	3810 (3) + 502 (3)	

Leçon de points

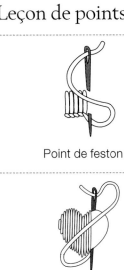

Point de feston

Passé empiétant

Point de noeud

Passé plat

Point arrière

Point lancé

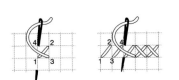

Point de croix

Point de Poste

Point de feuille

Point de plume

Point de tige

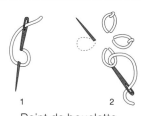

Point de bouclette

Index

AUTOUR DE LA TABLE

MODE

La plupart des schémas sont réduits. Pour retrouver leur taille réelle, les agrandir à la photocopieuse jusqu'à ce que la barre témoin fasse la mesure indiquée.

Crédits

PHOTOGRAPHIES

Sylvie Becquet (p. 29, 77), Edouard Chauvin (p. 57), Juliette D'Assay (pp. 9, 13, 27, 33, 43, 45, 87), Gilles De Chabaneix (pp. 11, 39, 47, 63, 71, 73, 75, 95), Patrice Degrandy (p. 21, 83), Thomas Delhemmes (pp. 31, 37, 41, 59, 67), Christophe Dugied (pp. 7, 23, 35, 49, 53, 55, 61, 65, 79, 81, 89, 91), Marion Faver (p. 19), Louis Gaillard (pp. 15, 51, 85, 93), Sylvie Lancrenon (pp. 17, 25, 69)

CREATION

Marie-France Annasse (p. 17), Catherine Basquin (p. 37), Sandrine Bernard (p. 51), Monique Bonin (p. 19), Blandine Boyer (p. 39), Sabine Cano (pp. 49, 91), Catherine Coget (pp. 13, 57, 61, 77), Catherine Crasbercu (pp. 85, 87, 89), Caroline Diaz (pp. 35, 41, 59), Stéphanie Dubuis (p. 53), Juliette Dupont (p. 7), Céline Dupuis (p. 67), Johanna Elabouf (p. 31), Florence Guimet (p. 83), Françoise Hamon (pp. 63, 69), Vania Leroy (pp. 9, 33), Béatrice Lesne (p. 55), Marie-Hélène Mazure (p. 73), Véronique Méry (pp. 11, 39, 71), Yves Méry (p. 11), Lise Meunier (pp. 21, 23, 65), Jacqueline Morel (p. 15), Anne Muchir (pp. 29, 75, 95), Nathalie Spiteri (pp. 43, 45), Marie-Thérèse St Aubin (p. 93), Marion Taslé (pp. 27, 79, 81), Nancy Waille (p. 47)

CONCEPTION

Pascale Chombart de Lawe (pp. 43, 45), Catherine De chabaneix (pp. 11, 39, 47, 63, 71, 73, 75, 95), Christl Exelmans (pp. 15, 85), Marie-Paule Faure (p. 77), Caroline Lancrenon (pp. 17, 55, 69), Vania Leroy (pp. 9, 13, 25, 27, 33, 61, 87, 89, 91), Véronique Méry (p. 93), Anne Muchir (p. 29), Camille Soulayrol (pp. 7, 23, 31, 35, 37, 41, 49, 51, 53, 57, 59, 65, 67, 79, 81, 83)